C·H·Beck
PAPERBACK

Michael Lüders

Wer den Wind sät

Was westliche Politik im Orient anrichtet

C.H.Beck

«Wenn alle dasselbe denken,
werde ich misstrauisch.»

Stefan Hell,
Nobelpreisträger für Chemie 2014

1.–8. Auflage. 2015
9., aktualisierte Auflage. 2015
10.–15. Auflage. 2015
16. Auflage. 2016
17., aktualisierte Auflage. 2016
18.–21. Auflage. 2016
22., aktualisierte Auflage. 2016
23. Auflage. 2017
24. Auflage. 2017
25., aktualisierte Auflage. 2017

Mit einer Karte (Peter Palm, Berlin)

Originalausgabe
26. Auflage. 2017

Satz: Fotosatz Amann, Memmingen
Druck und Bindung: Pustet, Regensburg
Umschlaggestaltung: Geviert, Grafik & Typografie, Christian Otto
Umschlagabbildung: Operation Iraqi Freedom

Gedruckt auf säurefreiem, alterungsbeständigem Papier
(hergestellt aus chlorfrei gebleichtem Zellstoff)
Printed in Germany
ISBN 978 3 406 67749 6

www.chbeck.de

Inhalt

Wind säen, Stürme ernten: Zur Einführung

Als ich einem Freund in Budapest vom Anliegen dieses Buches erzählte, verstand er es auf seine Weise: *How the Americans and British fucked up the Middle East and happily continue to do so.* Im Kern ist das gar nicht einmal falsch. Dieses Buch ist eine Abrechnung mit westlicher Politik, die gerne für sich in Anspruch nimmt, «werteorientiert» zu handeln, im Nahen und Mittleren Osten aber vielfach verbrannte Erde hinterlassen hat. Die Akteure sind dabei in erster Linie die USA und ihr engster Verbündeter, Großbritannien. Spätestens seit 9/11 gehören aber auch die übrigen Mitgliedstaaten der EU dazu, nicht zuletzt Deutschland.

Wer die Konflikte der Gegenwart, darunter den Vormarsch des «Islamischen Staates», den Atomkonflikt mit dem Iran oder den Krieg in Syrien, verstehen will, muss sich mit westlicher Politik befassen, ihrer Einflussnahme auf die Region seit dem Ende des Zweiten Weltkrieges. Selbstverständlich ist sie nicht der alleinige Brandstifter, aber ein sehr verlässlicher. Angefangen mit dem Sturz Mossadeghs im Iran 1953, dem Sündenfall schlechthin. Wie die folgenden Ausführungen zeigen werden, hat sich das Grundmuster westlicher Interventionen in der arabisch-islamischen Welt über Jahrzehnte hinweg kaum verändert. Allem voran die Neigung, die Konfliktparteien in «gut» und «böse» zu unterteilen.

Sobald ein Staat, ein nichtstaatlicher Akteur (Hamas, Hisbollah) oder ein Regierungschef als «böse» gebrandmarkt ist, wird er, nicht zuletzt unter Zuhilfenahme dienstbarer Geister in «Denkfabriken» und den Medien, dämonisiert. Der Vergleich mit Hitler ist dabei ein ebenso beliebtes wie effizientes Mittel zum Zweck – mit Verbrechern dieses Kalibers zu reden, geschweige denn mit ihnen zu verhandeln, wäre Appeasement, ein Verrat an den Werten, für die der Westen steht. Mossadegh, der 1951 die von Großbritannien kontrollierte iranische Erdölindustrie verstaatlicht hatte und dafür zwei Jahre später mit einem von britischen und US-Geheimdiensten inszenierten Putsch bezahlte, war der Erste, der im Westen als «zweiter Hitler» verteufelt wurde. Ihm folgte der ägyptische Präsident Nasser, der 1956 den Suezkanal verstaatlichte und damit den Zorn der britischen und französischen Investoren auf sich zog: Auch er ein Hitler, der mit Hilfe des Suezkrieges gestürzt werden sollte, ohne Erfolg. Die letzten vier auf dieser Liste: Saddam Hussein, der vormalige iranische Präsident Ahmadinedschad, Baschar al-Assad, Wladimir Putin.

Das absolut Böse hat natürlich sein Pendant, das selbstlos Gute nämlich. Die Guten sind wir, die westliche Politik, weil sie für Freiheit, Demokratie und Menschenrechte steht. Westliche Politiker vermeiden es nach Möglichkeit, von Interessen zu reden. Lieber erwecken sie den Eindruck, sie betrieben ein weltweit angelegtes Demokratisierungs- und Wohlfahrtsprogramm. Eigene Fehler, Versäumnisse, Lügen und Verbrechen, die in der arabisch-islamischen Welt allein seit 9/11 Hunderttausende Menschen das Leben gekostet haben, werden großzügig übersehen. Und selbstverständlich haben die Guten das Recht, die Bösen zu bestrafen, mit Hilfe etwa von Wirtschaftssanktionen. Immer in der leisen Hoffnung auf einen Regimewechsel. In jüngster Zeit sind sie vor allem gegen den Iran und Russland verhängt worden. Gegenüber China hat Washington seine 1989, nach dem Tiananmen-Massaker in Peking, eingeleitete Sanktionspolitik still und leise eingefroren – zu groß sind inzwischen die wirtschaftlichen Verflechtungen zwischen beiden Staaten.

Die Guten glauben, dass ihre Moral eine überlegene sei, weil sie für die Freiheit der Ukraine oder Menschenrechte im Iran streiten. In erster Linie allerdings geht es darum, geopolitische Widersacher auszuschalten, zu schwächen oder kleinzuhalten. Der Umstand, dass Länder wie China, Indien oder Brasilien der Sanktionspolitik des Westens nicht folgen, weder gegenüber Russland noch dem Iran, irritiert deren Verfechter nicht – ihnen gilt Washington als Nabel der Welt. Und sie glauben an den Erfolg ihrer Politik: Wir haben die Mullahs so sehr unter Druck gesetzt, dass sie endlich über ihr Atomprogramm verhandeln! Das stimmt nur zum Teil. Die andere Seite der Medaille ist diese: Entweder arrangiert man sich mit der regionalen Mittelmacht Iran, oder aber es kommt, über kurz oder lang, unweigerlich zur Eskalation, zum Krieg. Den kann niemand ernsthaft führen wollen, abgesehen von den Extremisten in Israel und den USA.

Obwohl hiesige Politiker und Meinungsmacher eigentlich wissen könnten, dass die wirtschaftlichen und militärischen Ressourcen des Westens längst an ihre Grenzen gestoßen sind, die USA eine Weltmacht auf dem Rückzug darstellen und wir anderen unseren Willen in einer zunehmend multipolaren Welt nicht mehr ohne weiteres aufzwingen können, agieren die meisten Protagonisten der reinen Lehre, *The West is Best*, noch immer so, als wäre die Berliner Mauer gerade erst gefallen. Der Glaube an die eigene Allmacht erscheint ungebrochen. Wie sonst wäre zu erklären, dass westliche Politik lieber auf Konfrontation setzt als auf Kooperation; so wenig Bereitschaft erkennen lässt, aus eigenen Fehlern zu lernen? Hat, beispielsweise, der «Krieg gegen den Terror» Al-Qaida oder die Taliban geschwächt oder gar besiegt? Die USA haben seit 2001 in sieben mehrheitlich muslimischen Ländern militärisch interveniert oder sie mit Drohnen angegriffen: Afghanistan, Irak, Somalia, den Jemen, Pakistan, Libyen, Syrien. In welchem dieser Staaten haben sich anschließend die Lebensbedingungen der Bewohner verbessert, zeichnen sich Stabilität und Sicherheit ab? Gibt es eine einzige militärische Intervention des Westens, die nicht Chaos, Diktatur, neue Gewalt zur Folge gehabt hätte? Mag jemand der folgenden Aussage widersprechen: Ohne den von den USA im Rahmen einer «Koalition der Willigen» herbeigeführten Sturz Saddam Husseins 2003 und der anschließenden Verheerung des irakischen Staates durch eine ignorante und auf Konfessionalismus ausgerichtete amerikanische Besatzungspolitik würde es heute den «Islamischen Staat» nicht geben?

Die Region von Algerien bis Pakistan stellt mittlerweile einen nahezu durchgängigen Krisenbogen dar, heimgesucht von Kriegen, Staatszerfall, Stagnation und Gewalt. Die Gründe dafür sind vielfältig, zwei stechen hervor. Zum einen das Unvermögen und der Unwille der jeweiligen Machthaber, andere als Klientelinteressen zu bedienen. Jedwede Opposition wird gewaltsam unterdrückt. Bis es zum großen Knall kommt, zuletzt im Zuge der arabischen Revolte. Es folgt die Herrschaft von Militärs, Milizen oder Warlords, von Clans und Stämmen, von religiösen oder ethnischen Gruppen – mithin Kleinstaaterei, Selbstzerstörung und Barbarei. In diesem Umfeld gedeihen unterschiedliche Gruppen von Dschihadisten, denen der Koran als Folie zur Rechtfertigung von Willkür, Eroberung und Terror dient.

Zum anderen die seit kolonialen Zeiten betriebene westliche Einflussnahme, darunter die von Großbritannien und Frankreich nach dem Ersten Weltkrieg mit dem Lineal gezogenen Grenzen der meisten arabischen Staaten. In den 1950er Jahren wurden die USA zur Hegemonialmacht in der

Region. Washingtons Interventionen, allen voran der Putsch 1953 in Teheran, wirken bis heute fort, auch wenn sie bei uns, im Westen, längst vergessen sind oder vom Bild einer wohlwollenden, «unersetzlichen» Großmacht überlagert werden.

Fangen wir also mit der Vergangenheit an, um die Gegenwart besser zu verstehen: am Beispiel Irans.

Putsch in Teheran: Der Sündenfall

Der Staatsstreich gegen den demokratisch gewählten Premierminister Irans, Mohammed Mossadegh, war minutiös geplant und über Monate vorbereitet worden. Nichts hatten die CIA («Operation TPAJAX») und der britische Geheimdienst MI 6 («Operation Boot») dem Zufall überlassen. Das Ziel war klar: «Kampagne zur Installierung einer pro-westlichen Regierung im Iran», heißt es in einem kürzlich freigegebenen Dokument der CIA von 1953. Und weiter:

«ZIEL Premierminister Mossadegh und seine Regierung.

METHODEN DER DURCHFÜHRUNG Legale und quasilegale Methoden zum Sturz der Mossadegh-Regierung und ihre Ersetzung durch eine pro-westliche Regierung (...)

CIA AKTION Der Plan wurde in vier Phasen durchgeführt:

1. [Zensiert] (...) den Schah darin zu bestärken, dass er seine verfassungsgemäßen Rechte ausübt und jene Dekrete unterzeichnet, die die gesetzeskonforme Entfernung Mossadeghs als Premierminister ermöglichen.

2. Jene politischen Fraktionen im Iran zusammenzuführen und deren Unternehmungen zu koordinieren, die Mossadegh gegenüber feindselig eingestellt sind, einschließlich des einflussreichen Klerus, um ihre Unterstützung zu gewinnen, auf dass sie jedwede legale Aktion des Schahs zur Entfernung Mossadeghs aus dem Amt befürworten.

3. [Zensiert] (...) die iranische Bevölkerung zu desillusionieren hinsichtlich des Mythos von Mossadeghs Patriotismus, indem seine Zusammenarbeit mit Kommunisten in

den Vordergrund gerückt wird sowie seine Manipulation der ihm von der Verfassung verliehenen Autorität aus Gründen persönlichen Machthungers.

[4.] Gleichzeitig gilt es, einen ‹Nervenkrieg› gegen Mossadegh zu führen. Mit dem Ziel, ihm und der Öffentlichkeit vor Augen zu führen, dass sie mit Wirtschaftshilfe nicht rechnen sollten und die USA Mossadeghs Politik mit größter Sorge betrachten:

a) Eine Reihe öffentlicher Statements von hochrangigen US-Beamten, die klarstellen, dass Mossadegh keinen Anlass habe, zusätzliche US-Hilfen zu erwarten.

b) Artikel in US-Zeitungen und Magazinen, die ihn und seine Methoden kritisieren und

c) [Zensiert] (…) Abwesenheit des amerikanischen Botschafters, was den Eindruck unterstreicht, dass die USA ihr Vertrauen in Mossadegh und seine Regierung verloren haben (…)

Die Entfernung Mossadeghs von der Macht wurde am 19. August 1953 erfolgreich vollzogen (…)»

Auf den Tag genau 60 Jahre später, am 19. August 2013, stellte das National Security Archive der George-Washington-Universität in Washington die unter dem «Freedom of Information Act» erlangten damaligen CIA-Dokumente ins Internet, soweit sie nicht weiterhin als «streng geheim» unter Verschluss gehalten werden. Die umfangreiche Lektüre ist beeindruckend, weil sie von bemerkenswerter Kaltschnäuzigkeit, aber auch von beängstigender Professionalität zeugt. Im Zuge der Veröffentlichung sah sich die CIA veranlasst, erstmals öffentlich einzuräumen, dass der amerikanische Geheimdienst federführend am damaligen Staatsstreich beteiligt war.

Dieser ist keineswegs allein von historischem oder akademischem Interesse. Bei den Atomverhandlungen mit dem Iran etwa spielt er unterschwellig eine wichtige Rolle.

Für Teheran geht es dabei um die Frage, ob den USA zu vertrauen sei, ob sie tatsächlich iranische Souveränität zu respektieren gelernt haben oder aber ein weiteres Mal auf Regimewechsel setzen. Wie sehr jenes Ereignis, das dem kurzlebigen demokratischen Experiment im Iran ein Ende setzte und die Diktatur des Schahs begründete, der seinerseits 1979 von der Islamischen Revolution hinweggefegt wurde, in der Gegenwart fortwirkt, zeigt auch die Rede Präsident Obamas an die islamische Welt 2009 in Kairo. Darin räumte er ein: «Mitten im Kalten Krieg spielten die Vereinigten Staaten eine Rolle beim Sturz einer demokratisch gewählten iranischen Regierung.» Ein Satz nur, bewusst vage, doch wird er sich darüber im Klaren gewesen sein, dass der 19. August 1953 im kollektiven Gedächtnis nicht allein der Iraner, sondern vieler Araber und Muslime mindestens dieselbe Bedeutung hat wie der 17. Juni 1953 in Deutschland.

Geld jenseits «unserer kühnsten Träume»

In Großbritannien ist die Beteiligung am Staatsstreich offiziell bis heute kein Thema. In den 1970er Jahren überredeten ranghohe britische Beamte Washington, keine Dokumente zu veröffentlichen, die für London «überaus peinlich» wären. Einzig der britische Außenminister Jack Straw räumte 2009 als Reaktion auf Obamas Rede in Kairo ein, dass es im 20. Jahrhundert «viele Einmischungen» Großbritanniens in iranische Angelegenheiten gegeben habe. Die Veröffentlichungen des National Security Archive kommentierte das Außenministerium in London mit den Worten, man könne eine Beteiligung am Putsch «weder bestätigen noch dementieren».

Der Grund für diese vornehme Zurückhaltung dürfte

wohl sein, dass die Initiative für den Umsturz von London ausging. Die Briten besaßen das Monopol auf die iranische Ölindustrie seit deren Anfängen im Jahr 1909. Aus der Anglo-Persian Oil Company wurde 1935 die Anglo-Iranian Oil Company, AIOC, 1953 schließlich British Petroleum, BP. Bis zum Zweiten Weltkrieg waren etwa 800 Millionen Pfund Sterling Gewinn nach Großbritannien geflossen, während der Iran lediglich 105 Millionen Pfund erhielt. Premierminister Winston Churchill bezeichnete die AIOC als einen «Preis aus einem Märchenland, jenseits unserer kühnsten Träume». Gleichzeitig herrschte in der Ölförderstadt Abadan am Persischen Golf, de facto eine britische Kolonie, ein Apartheid-System. «Nicht für Iraner», hieß es etwa an den Trinkwasserbrunnen. Die schlechten Arbeitsbedingungen führten immer wieder zu Protesten und Streiks, die gewaltsam niedergeschlagen wurden. Ende der 1940er Jahre formierte sich der politische Protest, forderte eine Gruppe von Parlamentariern die Explorationsverträge mit Großbritannien neu auszuhandeln. Ihr Wortführer war der in Frankreich und der Schweiz ausgebildete Rechtsanwalt Mohammed Mossadegh. Er und seine Mitstreiter gründeten die Nationale Front, um die britische Vorherrschaft zu beenden und die Autokratie des Schahs zu bekämpfen. Unter anderem forderten sie Pressefreiheit, freie Wahlen ohne Wahlfälschungen und eine konstitutionelle Monarchie.

Der Schah: 1921 hatte Reza Chan, ein Offizier der Kosakenbrigade, ursprünglich eine Elitetruppe aus russischen und ukrainischen Reiterverbänden im Sold Teherans, die seit 1796 herrschende Qadscharen-Dynastie gestürzt, sich selbst 1926 zum «Schah» (Herrscher) krönen lassen und damit die Pahlevi-Dynastie begründet. «Pahlevi», ein anderes Wort für Mittelpersisch, war die Sprache des Sassanidenreichs, des zweiten persischen Großreichs der Antike (224–641). 1941 wurde er wegen seiner guten Beziehungen zu

Nazi-Deutschland von den Alliierten zum Rücktritt gezwungen, sein Sohn Mohammed Reza beerbte ihn als Schah und blieb es bis zur Islamischen Revolution 1979. Mit Hilfe des Schahs und dessen loyaler Gefolgschaft, die aufgrund von Wahlmanipulationen im Parlament stark vertreten war, suchten die Briten, den politischen Aufstieg der Nationalen Front zu verhindern. Dennoch wurde sie bei den Parlamentswahlen 1950 eine der stärksten Parteien und unterbreitete der AIOC einen Vorschlag zur angemesseneren Aufteilung der Erdöleinnahmen. Die aber lehnte Verhandlungen ab, woraufhin es landesweit zu Protesten und Streiks kam. Weite Teile der Bevölkerung verlangten nunmehr die Verstaatlichung der Erdölindustrie. Die Nationale Front, die sich von Großbritannien provoziert fühlte, schloss sich dieser Forderung an, wie auch ein Großteil der einflussreichen Geistlichen.

Als Mohammed Mossadegh im März 1951 Premierminister wurde, erkannten seine Gegner den Ernst der Lage. Die britische Regierung war entschlossen, an ihrer Ausbeutung der iranischen Ressourcen festzuhalten: Rund 90 Prozent des damals in Europa gehandelten Erdöls stammten aus der Raffinerie in Abadan. Die US-Regierung unter Präsident Truman vertrat eine vorsichtige Linie gegenüber Mossadegh und hoffte, das bröckelnde Empire auch im Iran als Hegemonialmacht beerben zu können. Die Verstaatlichung der iranischen Erdölindustrie löste in Washington zunächst keine größeren Irritationen aus. Die amerikanische Zeitschrift «Time» kürte Mossadegh 1951 gar zum *Man of the Year* und sah in ihm einen mutigen Reformer.

Doch Premierminister Churchill und sein Außenminister Anthony Eden, die frühzeitig den Plan gefasst hatten, Mossadegh zu stürzen, waren dabei zwingend auf die Unterstützung Washingtons angewiesen. Dort zeigte man sich allerdings erst 1953, nach der Amtsübernahme der Eisenhower-

Administration, für Londons Pläne empfänglich. Mehr noch, die Amerikaner übernahmen selbst die Federführung des Putsches. Hatte der Demokrat Truman noch gewarnt, eine gewaltsame Lösung des Irankonfliktes würde «eine Katastrophe nach sich ziehen», sahen die Republikaner in Mossadegh in erster Linie einen «Kommunisten», in der Verstaatlichung selbst einen gefährlichen Präzedenzfall.

Ein gefährlicher Irrer

Der Putsch im Jahr 1953 zeigt ein Grundmuster, das die USA und ihre Verbündeten noch immer bei angestrebten Regimewechseln anwenden: die Dämonisierung des Gegners im Vorfeld der eigentlichen Operation. Eden verglich Mossadegh wiederholt mit Hitler. Eines der 2013 veröffentlichten CIA-Dokumente beschreibt ihn in einer Sprache, die sich später fast wortgleich gegenüber Diktatoren wie Saddam Hussein, Gaddafi oder Baschar al-Assad wiederfindet, als «unberechenbar, irre, gerissen, provokant (...) Einer der gefährlichsten Führer, mit denen wir es je zu tun hatten.» Das iranische Volk habe er gegen die Briten aufgehetzt, indem er sie als «böse» bezeichnet habe: «Er und Millionen seiner Landsleute glauben, dass Großbritannien ihr Land seit Jahrhunderten für britische Interessen missbraucht hätte.»

Die Schlüsselfigur der amerikanischen «Operation TPAJAX» (TP bezieht sich auf die Länderkennung der CIA für den Iran, AJAX auf ein bekanntes Reinigungsmittel) und der britischen «Operation Boot», deutsch: Rauswurf, war der CIA-Mann Kermit Roosevelt, ein Enkel des vormaligen US-Präsidenten Theodore Roosevelt. Er folgte den eingangs zitierten vier Schritten zur Durchführung des Putsches, ergänzt um einen weiteren, dessen Einzelheiten noch immer teilweise zensiert sind: Er verteilte Geldsummen in Millionenhöhe an die Getreuen des Schahs, vor allem aber kaufte er die Gefolgschaft von Soldaten und Straßengesindel. Sie sorgten für den notwendigen Gewaltpegel auf den Straßen, wie er zur Durchführung eines Regimewechsels hilfreich ist. Dutzende Journalisten erhielten Geld, damit sie Mossadegh als Agenten der Sowjetunion anschwärzten.

Die CIA unterteilte den entscheidenden Tag, den 19. August 1953, in vier operative Phasen:
«Phase I: Die große Demonstration. 6.00 Uhr bis 10.30 Uhr»
Vier «Banden aus Raufbolden», mehrere hundert Männer umfassend, eine unter Führung eines Gangsters namens Schaban Dschafari Bimuch («Schaban der Hirnlose»), marschieren ins Basarviertel Teherans und verbreiten Angst und Schrecken.
«Phase II: Bewaffnete Kräfte und Undercover-Agenten greifen ein. 10.00 Uhr bis 15.00 Uhr»
Das Innen- sowie das Außenministerium werden besetzt, ebenso weitere Regierungsgebäude. Mossadegh nahestehende Zeitungsverlage werden angegriffen und in Brand gesetzt, schließlich werden verschiedene Parteizentralen, das Rathaus, das Telegrafenamt, die Hauptquartiere von Polizei und Militärpolizei besetzt.
«Phase III: Panzer riegeln das Stadtzentrum ab. 5.00 Uhr bis 14.30 Uhr»
«Phase IV: Die Ziele werden erreicht. 14.00 Uhr bis 19.00 Uhr»
14.00 Uhr bis 16.00 Uhr: Radio Teheran wird übernommen.
16.00 Uhr bis 17.00 Uhr: Zahedi (der neue Premierminister und Schah-Vertraute) hält eine Rede an die Nation, von Radio Teheran ausgestrahlt.
14.00 Uhr bis 19.00 Uhr: Mossadeghs Haus ist umstellt.
19.00 Uhr: Mossadegh «gelingt die Flucht».

Der letzte Eintrag bedeutete, dass Mossadegh Gelegenheit gegeben wurde zu «fliehen», um ihn anschließend als Feigling darzustellen. Später wurde er in einem Schauprozess zu drei Jahren Gefängnis verurteilt und bis zu seinem Lebensende 1967 unter Hausarrest gestellt. Mossadegh ist sicher die tragischste Figur in diesem Drama: Er war ein überzeugter Anhänger des Parlamentarismus, ein Bewunderer Mahatma Gandhis, von Abraham Lincoln und der amerikanischen Demokratie. Heute hieße es wohl: Er teilte die westlichen Werte. Was ihm allerdings nichts nutzte, im Gegenteil. Drei Tage zuvor, am 16. August 1953, vereitelten seine Anhänger einen ersten Putschversuch. Mossadegh machte sofort die ihm verhasste britische Regierung dafür verantwortlich. Doch wollte er nicht glauben, dass auch die Amerikaner involviert sein könnten. So groß war seine Naivität, dass er ausgerechnet den amerikanischen Botschafter um Unterstützung bat. Der riet ihm, für Ruhe und Ordnung zu sorgen, was er auch tat, indem er die nach dem gescheiterten Putschversuch von der Tudeh-Partei, den Kommunisten, organisierten Proteste für illegal erklärte und der Polizei auftrug, sie zu beenden.

Nach dem Staatsstreich kehrte der Schah aus seinem kurzzeitigen Exil zurück, die Nationale Front und die Tudeh-Partei wurden verboten, zwei Minister hingerichtet, ebenso zahlreiche Kommunisten. «Ich verdanke meinen Thron Gott, meinem Volk, meiner Armee – und Ihnen», sagte der Schah zu Kermit Roosevelt, dem Drahtzieher des Umsturzes. In den folgenden 26 Jahren bis zur Islamischen Revolution spürte Washington die Dankbarkeit des Schahs deutlich mehr als die iranische Bevölkerung. Er machte aus dem Iran einen amerikanischen Militärstützpunkt an der Südgrenze der Sowjetunion und zum wichtigsten Verbündeten Israels in der Region. Teheran wurde zum Polizisten Washingtons: Das Schah-Regime sollte nationalistische und linke Bewegungen in der gesamten islamischen Welt eindämmen helfen. Ein internationales Ölkonsortium wurde gegründet, zum Nutzen amerikanischer Explorationsgesellschaften, die 40 Prozent der Anteile hielten, ebenso viele wie BP. Der neue Vertrag sicherte, eine bittere Ironie, dem Iran 50 Prozent der Öleinnahmen zu, deutlich mehr als bisher. Der Schah setzte auf eine von oben betriebene Modernisierung des Landes, deren Nutznießer allerdings vorwiegend die dünne Oberschicht und ausländische Unternehmen waren. Zunehmend beruhte die Herrschaft des Schahs auf seinem gefürchteten Geheimdienst SAVAK, der maßgeblich von amerikanischen und israelischen Agenten ausgebildet wurde. Der Basar, das traditionelle Rückgrat der iranischen Wirtschaft, und der Klerus entwickelten sich in den 1970er Jahren zu Hochburgen der Opposition unter Führung des charismatischen Ayatollah Khomeini, der erst vom Exil im Irak aus, später aus Paris, den Widerstand anführte und lenkte, bis zur Revolution 1979.

Erst der Putsch, dann die Revolution

Kaum ein Historiker bezweifelt, dass die Islamische Revolution und die Machtübernahme Khomeinis die späte Antwort auf den Putsch von 1953 war: eine extreme, zeitversetzte Gegenreaktion. Die amerikanisch-britische Anmaßung hatte die Anfänge einer erfolgversprechenden, parlamentarischen Demokratie brutal beendet und gegen die Diktatur des Schahs eingetauscht, der im Westen als verlässlicher Partner galt, im Innern aber jeden Ansatz einer zivilgesellschaftlichen Entwicklung blockierte – bis die Religion, der Islam, zum Sammelbecken der Unzufriedenen wurde, stärker als die Macht des SAVAK. Die Fokussierung des Schahs auf Großprojekte, darunter, seit 1957 die Atompolitik, änderte nichts daran, dass die große Mehrheit der Bevölkerung weiterhin in Armut und Elend lebte, vor allem auf dem Land und in den wachsenden Slums der Großstädte. Auch deswegen gelang es ihm nicht, seine Popularität zu steigern. Oberschicht und Geheimdienst – diese Machtbasis erwies sich als zu dünn.

Ohne Putsch 1953 keine Islamische Revolution 1979 – diese Einsicht fällt der amerikanischen Politik noch immer schwer. Auf den einen Satz angedeuteter Selbstkritik Präsident Obamas bei seiner Rede in Kairo 2009 folgte im darauffolgenden bereits die Relativierung: «Seit der Islamischen Revolution hat der Iran eine wesentliche Rolle bei Geiselnahmen und Gewaltakten gegen US-Soldaten und Zivilisten gespielt.»

Soll wohl heißen: Wir sind quitt. Die Vorstellung, dass unterdrückte Völker amerikanische und westliche Politik hassen, ist den meisten Amerikanern und Europäern stets fremd geblieben. Die 404 Tage dauernde Geiselnahme amerikanischer Diplomaten in Teheran, von 1979 bis 1981, erscheint in den USA auch heute noch als der eigentliche Skandal, nicht der Putsch von 1953, der die Lunte entfachte für die Explosion eine Generation später. Die Frage nach Ursache und Wirkung ist unbequem, einfacher erscheint es, den «fanatischen Islam» für die historische Zäsur verantwortlich zu machen, die Khomeini markiert. Parolen wie «Tod Amerika» oder «Tod Israel» erscheinen aus dieser Perspektive als Ausdruck unversöhnlicher Feindschaft, verankert in der Religion, nicht als Quittung für die langjährige Unterstützung der Schah-Diktatur.

Kurz nach seiner Amtseinführung 1953, ein halbes Jahr vor dem Putsch im Iran, stellte Präsident Eisenhower im Nationalen Sicherheitsrat die Frage, warum die meisten Menschen außerhalb der westlichen Hemisphäre die Politik der USA ablehnten. Die Antwort hätte ihm die CIA geben können: Als *Blowback* bezeichnet sie das Phänomen, dass Geheimoperationen in anderen Ländern wie ein Bumerang auf ihre Urheber zurückfallen können.

Ohne Putsch 1953 keine Islamische Revolution 1979 – man kann diese Botschaft nicht deutlich genug vermitteln. Der Putsch war *der* Sündenfall schlechthin, und er wirkt bis heute nach, weit über den Iran hinaus. Seit Khomeini gilt das Land als Feind des Westens, löste der Islam schrittweise den Kommunismus als bevorzugtes Feindbild westlicher Gesellschaften ab. Seit Khomeini verfolgen die USA und mit ihnen die Europäer, Israel und die Golfstaaten mit wechselnder Intensität und in unterschiedlichen Konstellationen offen und verdeckt das Ziel, den Iran als regionalen Akteur auszugrenzen und zu schwächen, nach Möglichkeit einen Regimewechsel herbeizuführen. Es versteht sich von selbst, dass die rücksichtslose Politik der Machtkonsolidierung in den ersten Jahren der Islamischen Republik, in deren Verlauf Zehntausende Regimegegner liquidiert wurden, ferner innenpolitische Repressionen bis hin zur Kleiderverordnung für Frauen und eine nicht allein vom Westen, sondern auch von den Nachbarstaaten oft genug als aggressiv empfundene Außenpolitik kaum dazu beitrugen, in den Mullahs, den neuen Machthabern, Sympathieträger zu sehen.

Nicht zu vergessen: Der islamische Fundamentalismus erlebte als Folge der iranischen Revolution seinen Durchbruch, auf Kosten säkularer, nationalistischer und pro-westlicher Strömungen und Parteien von Marokko bis Indonesien. Dabei spielte es keine Rolle, dass der Iran ein schiitisches Land ist, die Mehrheit der Muslime aber aus Sunniten besteht. Für den politischen Islam wurde Khomeini zum *Big Bang* – fast möchte man ironisch anmerken: Mit freundlichen Empfehlungen von CIA und MI 6, in memoriam Kermit «Kim» Roosevelt Junior (1916–2000).

Endspiel am Hindukusch: Washington und Riad als Geburtshelfer von Al-Qaida

Neben der Islamischen Revolution gab es 1979 noch ein weiteres Großereignis der Weltpolitik, den Einmarsch sowjetischer Truppen in Afghanistan. Das Bergland am Hindukusch, ein wichtiges Transitland für Handelsrouten, auch der Seidenstraße, hat seit Alexander dem Großen immer wieder Eroberer angezogen. Im 19. Jahrhundert wurde Afghanistan zum Spielball der konkurrierenden kolonialen Interessen von Russland und Großbritannien, nach 1979 zu einem Schlachtfeld der Geopolitik: auf der einen Seite die Sowjetunion, auf der anderen die USA, Saudi-Arabien und Pakistan.

Afghanistan mutet auch heute noch archaisch an, auf dem Land haben sich der Lebensrhythmus, die Gebräuche und Traditionen seit Jahrhunderten kaum verändert. Noch immer dominiert die Subsistenzwirtschaft. Amanullah Khan, erster König nach der Unabhängigkeit 1919, versuchte in den 1920er Jahren das Land zu modernisieren und wirtschaftlich zu öffnen. In Anlehnung an Atatürks Reformen in der Türkei wollte auch er mit der Tradition brechen, etwa die Schulpflicht einführen und Mädchen den Schulbesuch ermöglichen. Daraufhin kam es zu landesweiten Aufständen, 1929 schließlich zu seinem Sturz. Der nächste «Modernisierer» war Mohammed Daoud Khan, ein Großneffe Amanullahs, der 1973 die Macht in einem unblutigen Coup ergriff, die Monarchie abschaffte und sich zum Präsidenten ernannte. Auch er stand vor der unlösbaren Aufgabe,

Afghanistan aus dem Mittelalter herausführen zu wollen, doch über keine gesellschaftliche Basis jenseits der hauchdünnen Mittel- und Oberschicht vor allem der Hauptstadt Kabuls zu verfügen. Zunächst konnte er auf die Unterstützung der Kommunistischen Volkspartei Afghanistans zählen, der einzigen säkularen und nicht-ethnischen Partei von Bedeutung. Ihren größten Rückhalt hatte sie unter den Gebildeten und Intellektuellen Kabuls. Die Kommunisten allerdings liquidierten Daoud 1978 und übernahmen mit sowjetischer Hilfe selbst die Macht. Anschließend versuchten auch sie, Modernisierungs- und Alphabetisierungsprogramme umzusetzen, stießen aber auf den erbitterten Widerstand der Landbevölkerung und lokaler wie regionaler Führer, auch der Geistlichkeit. Landesweit kam es zu bewaffneten Aufständen gegen die «Ungläubigen», die schließlich im Bürgerkrieg mündeten. Um die Lage zu beruhigen und Afghanistan im Einflussbereich Moskaus zu halten, marschierte die sowjetische Armee Weihnachten 1979 im Nachbarland ein – und ging damit in eine geschickt gestellte Falle, die zum Untergang der Sowjetunion beitragen sollte.

Narziss und Goldmund

Einer der Architekten dieses machiavellistischen Lehrstücks, das gleichzeitig die Saat legte für die Terroranschläge des 11. September 2001, war Zbigniew Brzezinski, damals Nationaler Sicherheitsberater von US-Präsident Jimmy Carter. In einem Interview, das die französische Zeitschrift «Le Nouvel Observateur» im Januar 1998 mit Brzezinski führte, gab er ungewohnte Einblicke in das Innere der Macht, möglicherweise Ruhmsucht geschuldet:

«*Der frühere CIA-Direktor Robert Gates schreibt in sei-*

nen Memoiren, dass die amerikanischen Geheimdienste den afghanischen Mudschahedin schon ein halbes Jahr vor der sowjetischen Invasion Hilfe zu leisten begannen. Sie als damaliger Sicherheitsberater waren daran beteiligt, nicht wahr?

Brzezinski: Ja. Die offizielle Version lautet, dass die CIA-Hilfe für die Mudschahedin im Laufe des Jahres 1980 einsetzte, also nach dem sowjetischen Einmarsch am 24. Dezember 1979. Die Wirklichkeit aber, das wurde bisher geheim gehalten, sah anders aus. Am 3. Juli 1979 hat Präsident Carter die erste Direktive unterschrieben, um den Gegnern des pro-sowjetischen Regimes in Kabul still und leise Hilfe zu leisten. Am selben Tag noch habe ich dem Präsidenten geschrieben. Ich habe ihm erklärt, dass diese Hilfe meiner Meinung nach eine sowjetische Militärintervention herbeiführen würde.

(...) Haben Sie selbst die Absicht verfolgt, dass die Sowjets einen Krieg beginnen und nach Mitteln und Wegen gesucht, das zu provozieren?

Nicht ganz. Wir haben die Russen nicht gedrängt zu intervenieren, aber wir haben wissentlich die Wahrscheinlichkeit erhöht, dass es dazu kommen würde.

Als die Sowjets ihre Intervention mit der Absicht begründeten, dass sie das geheime Engagement der USA in Afghanistan bekämpfen wollten, hat ihnen niemand geglaubt. Dennoch war die Behauptung nicht ganz falsch. Bereuen Sie heute nichts?

Was denn bereuen? Die geheime Operation war eine ausgezeichnete Idee. Das Ergebnis war, dass die Russen in die afghanische Falle gelaufen sind, und Sie verlangen von mir, dass ich das bereue? An dem Tag, an dem die Sowjets offiziell die Grenze überschritten hatten, schrieb ich Präsident Carter: Jetzt haben wir die Gelegenheit, der UdSSR ihren Vietnamkrieg zu verpassen. Und tatsächlich, fast zehn

Jahre lang war Moskau gezwungen, einen Krieg zu führen, der die Möglichkeiten der Regierung bei Weitem überstieg. Das wiederum bewirkte eine allgemeine Demoralisierung und schließlich den Zusammenbruch des Sowjetreiches.

Und Sie bereuen auch nicht, den islamischen Fundamentalismus unterstützt zu haben, indem Sie künftige Terroristen mit Waffen und Knowhow versorgten?

Was ist für die Weltgeschichte von größerer Bedeutung? Die Taliban oder der Zusammenbruch des Sowjetreiches? Einige fanatisierte Muslime oder die Befreiung Zentraleuropas und das Ende des Kalten Krieges?»

Wie erwähnt waren Saudi-Arabien und Pakistan die wichtigsten Verbündeten der USA im Kampf gegen den Kreml. Als Reaktion auf die schiitische Revolution im Iran rief das Herrscherhaus in Saudi-Arabien, das für sich die Führung innerhalb des sunnitischen Islam beansprucht, zum Heiligen Krieg auf: sicherheitshalber fernab der eigenen Grenzen, in enger Abstimmung mit Washington. Afghanistan wurde zum Schlachtfeld, der Dschihad gegen die sowjetische Besatzung (1979–1989) zum Fanal – ein Instrument saudischer Eigenlegitimation und amerikanischer Machtpolitik im Wettstreit mit Moskau und mit Khomeini. Radikale Islamisten von Algerien bis Pakistan strömten zu Tausenden nach Afghanistan, finanziert maßgeblich aus Saudi-Arabien, und kämpften dort als Mudschahedin, als Glaubenskämpfer, gegen die Gottlosen.

Heilige oder Engel verehren – verboten

Diese Allianz zwischen Washington und Riad mag auf den ersten Blick als geschickter Schachzug erscheinen: die Saudis als Handlanger amerikanischer und westlicher Interessen. Allerdings zu einem hohen Preis – 15 der 19 Attentäter des 11. September 2001 kamen aus Saudi-Arabien. Auch die Brutalität der Dschihad-Miliz «Islamischer Staat» hat ihre ideologischen Wurzeln in Saudi-Arabien, ebenso die heutige Konfrontation zwischen Sunniten und Schiiten, die sich vor allem im Irak und im Libanon, aber auch in Pakistan immer wieder in Terror und Gewalt entlädt. Das Königreich, konkret die wahhabitische Staatsdoktrin, trägt dafür nicht die alleinige, wohl aber ein hohes Maß an Verantwortung. Der Heilige Krieg in Afghanistan war im Rückblick der entscheidende Brandbeschleuniger dieser Entwicklung. Um die Hintergründe besser zu verstehen, ist einmal mehr ein Blick in die Geschichte erforderlich.

In Saudi-Arabien ist der Islam Staatsreligion, genauer gesagt, eine erzkonservative, theokratische Strömung: der Wahhabismus. Ihr Begründer war der Erweckungsprediger Mohammed Ibn Abd al-Wahhab (1703/04–1792), der in Anlehnung an den mittelalterlichen Theologen Ibn Taimiyya die Einheit von Staat und Religion forderte sowie die strikte Einhaltung der Grundlagen islamischen Glaubens, wie er sie verstand.

Der saudische Staat entstand 1932, aber die moderne Geschichte des Landes begann, als sich die Anhänger Abd al-Wahhabs im späten 18. Jahrhundert mit dem Stamm der Al-Saud verbündeten, zu beiderseitigem Nutzen. Die Wahhabiten hatten nunmehr Rückhalt durch eine starke Stammesdynastie gefunden, umgekehrt konnten die Al-Saud ihren eigenen Machtanspruch, die Unterwerfung anderer Stämme, religiös legitimieren. Bis heute ist der Wahhabismus das Rückgrat der saudischen Dynastie, weswegen beispielsweise Frauen in Saudi-Arabien nicht Auto fahren dürfen. Ohne die Allianz mit den Al-Saud, nach denen das Königreich benannt ist, wäre diese frühe Variante des islamischen Fundamentalismus eine unbedeutende und kurzlebige, sektiererische Bewegung geblieben, eine Fußnote der Geschichte. Infolge des saudischen Erdölreichtums sollte der Wahhabismus jedoch bis in die hintersten Winkel der islamischen Welt vordringen, Reformbewegungen unterdrücken und auf die Weltpolitik Einfluss nehmen.

Weltanschaulich gibt es kaum einen Unterschied zwischen dem Wahhabismus, Osama bin Laden oder dem «Islamischen Staat». Ein zentraler Grundsatz der Glaubenslehre Abd al-Wahhabs besteht im *takfir*, wörtlich: Jemanden für ungläubig erklären. Gemäß dieser Doktrin gelten Muslime als ungläubig, die durch Wort oder Tat erkennen lassen, dass sie die absolute, uneingeschränkte Autorität des Herrschers, konkret der Al-Saud, infrage stellen. Ebenso gelten alle Muslime als Apostaten, die dem Volksglauben anhängen und etwa Tote, Heilige oder Engel verehren. Solche Anwandlungen, war Abd al-Wahhab überzeugt, würden die Gläubigen lediglich davon abhalten, sich uneingeschränkt dem Willen des einzigen und wahren Gottes zu unterwerfen. Der wahhabitische Islam untersagt Gebete, die Bezug nehmen auf Heilige oder Verstorbene, untersagt Pilgerfahrten zu Gräbern oder Mausoleen ebenso wie das öffentliche Gedenken an den Geburtstag des Propheten Mohammed und verbietet sogar die Verwendung von Grabsteinen. Abd al-Wahhabs Lehre verbreitet Konformität und erklärt jede Abweichung zur Blasphemie. Seiner Ansicht nach bemisst sich der rechte Glaube im bedingungslosen Gehorsam gegenüber Gott und dem Herrscher, dem Kalifen oder König. Wer sich diesem Glauben nicht anschließt, dessen Besitz möge beschlagnahmt, dessen Frauen und Töchtern Gewalt angetan werden, empfahl er. Apostaten haben ihr Recht auf Leben grundsätzlich verwirkt. Zu den Muslimen, die den Tod verdient haben, gehörten für ihn grundsätzlich Sufis, religiöse Mystiker also, Schiiten und generell alle Nichtsunniten – von Nichtmuslimen ganz zu schweigen.

Der Schoß, aus dem der Fanatismus kroch

Was den wahhabitischen Islam in Saudi-Arabien vom «Islamischen Staat» und von Al-Qaida unterscheidet, sind im Kern die unterschiedlichen Loyalitäten: In Saudi-Arabien gelten sie dem König, beim «Islamischen Staat» einem selbsternannten Kalifen, im Falle Al-Qaidas Osama bin Laden bzw. dessen Nachfolger. Islamistische Fanatiker und Dschihadisten aller Couleur betreiben *takfir*: Widersacher oder Gegner werden zu Ungläubigen erklärt und zur Ermordung freigegeben. Der Schoß, aus dem das alles kroch, ist der Wahhabismus, auch wenn Anhänger Al-Qaidas oder des «Islamischen Staates» das leugnen würden. Sie sehen in der saudischen Dynastie einen Todfeind, weil sie deren Prinzen und Emire für moralisch verkommen halten, für Abtrünnige, die den Islam an den Westen verkauft hätten.

Mit Gewalt kennen sich auch die saudischen Wahhabiten gut aus. In den 1790er Jahren unterwarfen sie sukzessive das Gebiet des heutigen Saudi-Arabien und stellten die besiegten Stämme vor die Alternative Tod oder Unterwerfung. Die Al-Saud und die wahhabitischen Theologen führten auch den Märtyrergedanken in den Dschihad der Neuzeit ein: Den gefallenen Glaubenskämpfer erwarte der sofortige Eintritt ins Paradies. 1801 überfielen die Wahhabiten Kerbela im Irak, eine der heiligen Städte der Schiiten. Dort massakrierten sie rund 5000 Menschen, auch Frauen und Kinder, führten Tausende in die Sklaverei und zerstörten mehrere schiitische Heiligengräber, darunter das von Imam Hussein, des ermordeten Enkels des Propheten Mohammed. 1803 eroberten die Al-Saud und die Wahhabiten Mekka und brannten die Altstadt einschließlich ihrer Gräber und Schreine nieder, auch das Prophetengrab. Jahrhunderte islamischer Architekturgeschichte rund um die Große Moschee machten sie dem Erdboden gleich. Die Hohe Pforte reagierte auf diesen Frevel, indem osmanische Truppen die Angreifer auf ihr Kernland östlich der heutigen Hauptstadt Riad zurückdrängten. Doch 1924 eroberten sie erneut Mekka und Medina. Die Verteidiger Mekkas, obwohl mit Kanonen ausgestattet, ergriffen kampflos die Flucht. Chronisten berichten, dass die Luft erfüllt war von einem merkwürdigen Summen, bevor die Krieger Al-Sauds auch nur zu sehen waren. Als die Verteidiger erkannten, dass da eine Phalanx Glaubenskämpfer auf sie zukam, die wie in Trance tausendfach das Wort «Dschanna» skandierte, «Paradies», gerieten sie in Panik. Ganz ähnlich verlief der Vormarsch des «Islamischen Staates». Die Entschlossenheit und Todesverachtung dieser Dschihad-Miliz hatte zur Folge, dass reguläre irakische Soldaten zu Zehntausenden flohen, ohne auch nur einen Schuss abzufeuern.

Nach dem Sieg ließ Abd al-Asis Ibn Saud (1880–1953), der Begründer Saudi-Arabiens, 40 000 Gegner des Wahhabismus öffentlich mit dem Schwert hinrichten. Seine Anhänger plünderten den Schatz der Prophetenmoschee in Medina und verbrannten bis auf den Koran alle Bücher, die sie dort fanden. Sie verboten Musik und Blumen, Tabak und Kaffee. Unter Androhung der Todesstrafe mussten sich Männer Bärte wachsen lassen, Frauen sich verschleiern und die Öffentlichkeit meiden.

Sehr ähnlich handhaben es heute die Taliban, Al-Qaida und der «Islamische Staat», die Brüder im Geiste des Wahhabismus. Seit die Erdöleinnahmen in den 1930er Jahren zu fließen begannen – bis heute sind amerikanische Ölfirmen Marktführer in Saudi-Arabien – verfolgt Riad das politische Ziel, den Wahhabismus in der gesamten islamischen Welt zu verbreiten und den Islam zu «wahhabisieren». Milliarden Dollar sind seither ausgegeben worden, um die vielen Gesichter des Islam zu reduzieren auf «einen Glauben» im Dienste des Königreiches. Das gelingt nicht zuletzt mit Hilfe salafistischer Strömungen, die auch in Europa und Deutschland unter entwurzelten muslimischen Jugendlichen Zulauf finden. Der Salafismus in seiner heutigen Form ist «Wahhabismus light»: Er bezeichnet eine ultrakonservative Strömung innerhalb des Islam, die gleichzeitig politische Ideologie ist und *way of life*. Als Maßstab gilt eine idealisierte Wahrnehmung der islamischen Frühzeit im siebten Jahrhundert, die mit Attributen wie «Aufbruch», «Läuterung», «Reinheit» umschrieben wird. Seit Beginn der arabischen Revolte 2011 finanziert Saudi-Arabien salafistische Parteien mit Vorliebe dort, wo es demokratische Entwicklungen zu verhindern oder zu unterminieren gilt: in Tunesien, Ägypten, bis hin nach Indonesien.

Längst übt der saudische Wahhabismus in seiner Heimat keine Gewalt mehr aus, vielmehr will er die Dynastie der Al-Saud bewahren. Dennoch, viele Saudis sympathisieren wie generell viele Golfaraber mit gewalttätigen islamistischen Gruppen. Das führt zu der schizophrenen Situation, dass die Regierung in Riad Al-Qaida und den «Islamischen Staat» nach Kräften bekämpft, reiche Saudis und Golfaraber oder dortige religiöse Stiftungen aber die Radikalen finanziell unterstützen. Viele Golfaraber, und nicht nur sie, sehen in diesen Gruppen Wiedergänger des Propheten und seiner Gefährten, die von Mekka aus aufbrachen, die wahre Lehre zu verbreiten und damit eine Weltreligion begründeten. Die Sehnsucht nach einem einfachen, unverfälschten Leben spielt dabei ebenfalls eine große Rolle. Sogar saudische Prinzen haben den Taliban und Osama bin Laden Geld zukommen lassen.

«Arabische Afghanen» und ihr Basisregister

Doch zurück nach Afghanistan in den 1980er Jahren. Die Allianz mit den Saudis, der Dschihad gegen die sowjetischen Besatzer, war aus amerikanischer Sicht ein großartiger Deal – die Kosten des Krieges wurden zu erheblichen Teilen von Riad geschultert. Aber gleichzeitig legte dieser Dschihad auch die Grundlagen für Al-Qaida und die Taliban und beflügelte radikale Islamisten weltweit, ihrerseits zum Dschihad gegen repressive Regierungen oder «den Westen» aufzurufen. Die Mudschahedin, die aus allen Teilen der islamischen Welt über Pakistan nach Afghanistan strömten, waren militärisch kaum von Bedeutung, wenig mehr als Kanonenfutter, trugen aber durch Selbstmordattentate und Anschläge zur Demoralisierung der sowjetischen Soldaten bei. Sie glaubten, wenn es gelänge, im Namen des Islam eine Weltmacht zu besiegen, dann ließe sich am Hindukusch das erste Kalifat errichten. Viele Glaubenskämpfer zogen mit ihren Familien vorübergehend nach Pakistan. Anfang der 1990er Jahre zählte die arabische Gemeinde dort etwa 30 000 Mitglieder. Islamabad bekam für seine Kooperation Milliardenbeträge aus Washington und Riad, hielt sich ansonsten aber aus diesem Stellvertreterkrieg heraus. Zum großen Nutznießer der neu geschaffenen Verhältnisse in Afghanistan wurde der östliche Nachbar erst später, mit dem Aufkommen der Taliban 1994, doch der Reihe nach.

Was den Mudschahedin fehlte, waren Ansprechpartner vor Ort in Pakistan. Häufig blieben sie nach ihrer Ankunft sich selbst überlassen und mussten zusehen, wie sie sich mit Hilfe von Vertrauten Zugang zu afghanischen Kommandeuren verschafften. Einer, der dieses Manko erkannte und nutzte, war Osama bin Laden. 1982 richtete er in der

Stadt Peshawar, unweit der afghanischen Grenze, ein «Dienstleistungsbüro» ein, das Araber für den Kampf anwarb und sie an die Front vermittelte. Zwei Jahre später begründete er, ebenfalls in Peshawar, das «Haus der Prophetengefährten», das sich schnell zur ersten Adresse und wichtigsten Anlaufstelle der «arabischen Afghanen» entwickelte. 1986 beschloss er, eigene Lager und Stützpunkte in Afghanistan einzurichten und eine eigene Guerillagruppe aufzubauen. Geld hatte er genug, er stammte aus einer reichen saudischen Familie. Zusätzliche finanzielle Unterstützung erhielten er und seine Anhänger aus amerikanischen Quellen, ebenso Waffen und eine rudimentäre militärische Ausbildung. Das US-Generalkonsulat in Peshawar diente in jenen Tagen als logistisches Zentrum, für die CIA ebenso wie für die amerikanischen Militärberater und Ausbilder.

Die «arabischen Afghanen» kamen und gingen, einige blieben nur kurz, andere machten den Dschihad zu ihrer Lebensaufgabe. Osama bin Laden beschloss, ein Verzeichnis der «kämpfenden arabischen Brüder» anzulegen. Ein Register, das vor allem den Lebenslauf und die militärischen Kenntnisse der arabischen Freiwilligen erfasste. Nach kurzer Zeit hatte es ein solches Volumen angenommen, dass er und seine Getreuen nach einem Namen suchten, um ihr Projekt bekanntzugeben. Sie einigten sich auf «Basisregister», kurz «Die Basis», arabisch: Al-Qaida. Eine frühe Datenbank des Dschihad also. Das war 1988, als Moskau bereits seine Truppen aus Afghanistan abzuziehen begann. Aber zu dem Zeitpunkt war Osama bin Laden längst entschlossen, den Dschihad in die arabische Welt zu tragen – mit dem Ziel, die pro-westlichen Regierungen zu stürzen, angefangen in seiner Heimat Saudi-Arabien. Schnell geriet er ins Visier saudischer und amerikanischer Geheimdienste, floh aus Saudi-Arabien über den Sudan zurück nach Afghanistan, von wo er ab Mitte der 1990er Jahre mehrere spektakuläre Anschläge, darunter die des 11. September 2001, plante und organisierte. Dabei profitierte er von seinen Kontakten in der gesamten arabischen Welt, festgehalten im «Basisregister», und konnte auf die Erfahrungen zurückgreifen, die er und seine Anhänger in Afghanistan gesammelt hatten.

Wie viele Mudschahedin hatte sich auch Osama bin Laden sehr schnell dem neuen Feind USA zugewandt, der Schutzmacht des ihm verhassten saudischen Königshauses. Als Auslöser dieses Gesinnungswandels gilt vor allem die Präsenz von US-Truppen in Saudi-Arabien, die im Zuge der irakischen Invasion Kuweits 1990 noch einmal um Zehntausende Soldaten aufgestockt wurden. Auch Narzissmus war ein Faktor: Osama bin Laden hatte Riad angeboten, die Befreiung Kuweits mit Hilfe der Mudschahedin durchzuführen, woraufhin er ins Visier der saudischen Führung geriet. Allerdings lehnten nicht nur Fanatiker, sondern auch gemäßigte Araber die Anwesenheit so vieler «Ungläubiger» unweit der heiligen Stätten von Mekka und Medina ab. Die Amerikaner lösten bis 2003 ihre Stützpunkte in Saudi-Arabien auf, seit 1998 befindet sich ihr Hauptquartier für den Persischen Golf im benachbarten Emirat Katar.

Nach dem sowjetischen Abzug 1989 konnte sich die moskautreue Regierung noch drei Jahre an der Macht halten, bevor die Mudschahedin Kabul eroberten. Heillos untereinander zerstritten, war der von ihnen ausgerufene Islamische Staat wenig mehr als eine Ansammlung lokaler und regionaler Anführer auf der Jagd nach Beute – aus pakistanischer Sicht schwer zu kontrollieren. Nunmehr begannen mehrere afghanische Warlords im Sold des pakistanischen Geheimdienstes ISI, namentlich der wohl größte Massenmörder im Land, Gulbuddin Hekmatyar, das bis dahin unzerstörte Kabul mit Mörsergranaten und Raketen unter Beschuss zu nehmen und legten es in weiten Teilen in

Schutt und Asche. Afghanistan zerfiel entlang ethnischer und religiöser Bruchlinien, bis 1994 eine neue Bewegung entstand, die Sicherheit und Ordnung versprach.

Von der Stadt Kandahar im Süden aus traten die Taliban ihren Siegeszug an, auf den Trümmern der Mudschahedin-Herrschaft, und eroberten zwei Jahre später die Hauptstadt. Auch sie kooperieren eng mit dem ISI. Die Taliban rekrutieren sich fast ausschließlich aus Paschtunen, der Mehrheitsbevölkerung in Afghanistan und Teilen Pakistans, ihre Hochburgen sind die zahlreichen religiösen Hochschulen, Madrasas, in Pakistan. Daher auch ihr Name: «Taliban» bedeutet «Religionsstudenten». Vor allem Putschgeneral Zia ul-Haq (regierte 1977 bis 1988) hatte die Islamisierung Pakistans gefördert, um seine Macht zu festigen. Er ließ Hunderte von Madrasas errichten, in denen bettelarme Familien gerne ihre Söhne in Obhut gaben, darunter auch Abertausende afghanische Flüchtlingskinder. Dort wurden sie versorgt, aber auch indoktriniert und im wahhabitischen Geist erzogen. Mitfinanziert von der CIA, dienten die Madrasas als Waffenlager und Rekrutierungszentren der Mudschahedin. Mit dem Siegeszug der Taliban schlossen sich auch die Madrasas und viele ehemalige Mudschahedin der neuen Bewegung an.

Eine Affäre und ihre Folgen

Bis zum Beginn der US-Offensive gegen die Taliban und Osama bin Laden am 7. Oktober 2001 kontrollierten diese etwa 90 Prozent Afghanistans, nur die nicht-paschtunischen Landesteile im Norden nicht, in denen vor allem Tadschiken, Usbeken und Hasara leben, ethnische Mongolen schiitischen Glaubens. Die Taliban waren zunächst nicht anti-amerikanisch oder anti-westlich eingestellt. Westliche Ausländer konnten sich unbehelligt in den von ihnen kontrollierten Gebieten bewegen. Das änderte sich, als amerikanische Cruise Missiles am 20. August 1998 Ausbildungslager Osama bin Ladens in Afghanistan zerstörten. Washington machte ihn zu Recht verantwortlich für die zwei Wochen zuvor erfolgten Anschläge auf die US-Botschaften in Kenia und Tansania.

Geschichte als Treppenwitz – das gibt es wirklich. Die US-Regierung war lange an guten Beziehungen zu den Taliban interessiert gewesen. Wiederholt waren deren Vertreter nach Washington gereist, um den Bau einer Erdgas-Pipeline von Usbekistan über Afghanistan nach Pakistan zu verhandeln, an dem vor allem das US-Energieunternehmen Halliburton Interesse zeigte. Auch die Auslieferung von Osama bin Laden wurde dabei erörtert. Fast wäre in dieser Frage eine Einigung erzielt worden – den Angriff aber werteten die Taliban als Affront. Nunmehr weigerten sie sich kategorisch, ihren «Ehrengast» auszuliefern. Wahrscheinlich wären sie dazu auch nicht mehr in der Lage gewesen: Osama bin Laden war sehr gut vernetzt, und sein Nimbus als «Glaubenskämpfer» kaum noch infrage zu stellen. Washington erwirkte daraufhin bei den Vereinten Nationen ein Wirtschaftsembargo gegen Afghanistan, das im November 1999 in Kraft trat. Damit waren die Fronten endgültig geklärt, und Osama bin Laden konnte ungestört die letzten Vorbereitungen für 9/11 treffen.

Warum Treppenwitz? Der amerikanische Angriff erfolgte auf dem Höhepunkt der Lewinsky-Affäre, als Präsident Clinton innenpolitisch kaum noch handlungsfähig war. Die meisten Kommentatoren waren sich einig, dass dieser Angriff auch als Befreiungsschlag nach innen diente. Zugespitzt gesagt: Hätte Clinton auf die Affäre mit seiner Praktikantin verzichtet, wären den Amerikanern möglicherweise 3000, den Irakern und Afghanen Hunderttausende tote Zivilisten erspart geblieben.

«Mission accomplished»: Die Amerikaner schaffen die Grundlage für den «Islamischen Staat»

Vom Putsch 1953 über die iranische Revolution hin zum afghanischen Dschihad als Stellvertreterkrieg mit Teheran und Moskau zeigt sich ein Handlungsmuster, das Amerika kurzlebige Triumphe bescherte, doch gleichzeitig die Weichen stellte für weitere Tragödien, den Zerfall ganzer Staaten und den Siegeszug gewaltbereiter Islamisten. Und diese Geschichte ist längst nicht zu Ende, sie setzt sich fort bis in die Gegenwart, in ständig neuen Volten und Katastrophen. Der rote Faden in der Dramaturgie Washingtons ist dabei kaum zu übersehen: Keine Macht in der Region und anderswo zu dulden, die andere als amerikanische und westliche Interessen vertritt. Die Entschlossenheit, die Islamische Republik Iran mit allen Mitteln zu bekämpfen und nach Möglichkeit ihren Untergang herbeizuführen, sollte die amerikanische Politik auch im nächsten Kapitel dieser *never ending story* prägen: dem irakisch-iranischen Krieg von 1980 bis 1988.

Ohne Zweifel war Saddam Hussein ein verbrecherischer Despot. Doch verdankte sich sein Aufstieg maßgeblich der Unterstützung, die er vor allem von den USA, aber auch von europäischer Seite und den Golfstaaten erfuhr. In Verkennung der Realität glaubte der gelernte Soldat und Offizier, der sich erst 1979 an die Macht geputscht hatte, der Iran sei als Folge der Revolutionswirren schwach und leichte Beute. Er wollte den Grenzverlauf im Schatt al-Arab zugunsten Iraks verändern und die ölreiche, mehrheitlich von Arabern bewohnte iranische Provinz Khusistan mit den Raffinerien von Abadan erobern – ganz im Sinne seiner westlichen und arabischen Förderer, die in der Islamischen Republik eine Bedrohung sahen.

In den ersten Monaten nach Kriegsbeginn im September 1980 gelangen der irakischen Armee tatsächlich Vorstöße und Geländegewinne auf iranischer Seite. Mitte 1982 allerdings begannen die Gegenoffensiven, auch mit Hilfe «menschlicher Wellen», Tausenden Kindern und Jugendlichen, die über die Minenfelder geschickt wurden, um den Hals einen Schlüssel aus Plastik, zum Eintritt ins Paradies. Diese menschlichen Räumkommandos machten den iranischen Soldaten den Weg frei. Die Iraker gerieten militärisch ernsthaft in Bedrängnis und hätten den Krieg verloren, wenn nicht die Amerikaner eingegriffen und ihn um weitere sechs Jahre verlängert hätten. Washington wollte um jeden Preis einen iranischen Sieg verhindern und beschloss, trotz offizieller Neutralität, Bagdad mit Waffen und Geld zu unterstützen. Hochrangige Beamte reisten in die irakische Hauptstadt, darunter Donald Rumsfeld, Sondergesandter Präsident Reagans. Das Foto seines Handschlags mit Saddam Hussein in Bagdad am 20. Dezember 1983 sollte knapp 20 Jahre später, da war Rumsfeld Verteidigungsminister unter Präsident George W. Bush und forcierte den Sturz Saddams, Furore machen: als Symbol einer fragwürdigen US-Politik.

«Alles unternehmen, um eine Niederlage Bagdads zu verhindern»

Den Krieg zu verlängern erwies sich als extrem kostspielig. Der Irak erhielt massive finanzielle Unterstützung aus den Golfstaaten, vor allem von Saudi-Arabien, und Milliardenkredite aus Washington, die gleichzeitig halfen, die amerikanische Wirtschaft anzukurbeln – so wurden die Iraker verpflichtet, ihren Importweizen aus den USA zu beziehen. Die explodierende Staatsverschuldung legte wiederum den Grundstein für das nächste Desaster in der Region, den irakischen Überfall auf Kuweit 1990.

Seit 1983 wusste die US-Regierung, dass das Regime Saddam Husseins Giftgas nicht allein gegen iranische Truppen, sondern auch gegen kurdische Aufständische im eigenen Land einsetzte. Nach einigem Zögern verurteilte die Regierung Reagan diesen Einsatz von Chemiewaffen und suchte halbherzig deren Export zu erschweren. Die wichtigsten Lieferfirmen befanden sich in den USA, Frankreich und Deutschland. Vor allem aber sorgte Washington dafür, dass die Vorstöße Irans, diesen Giftgaseinsatz durch die Vereinten Nationen verurteilen zu lassen, immer wieder ins Leere liefen. Im Januar 1995 sagte ein ehemaliger Mitarbeiter im Nationalen Sicherheitsrat unter Reagan, Howard Teicher, vor einem Gericht in Florida aus: «Nachdem Ronald Reagan eine Direktive des Nationalen Sicherheitsrates unterzeichnet hatte, der zufolge alles zu unternehmen sei, um Iraks Niederlage im Krieg zu verhindern, koordinierte CIA-Direktor William Casey persönlich alle Maßnahmen, die sicherstellten, dass der Irak über genügend Waffen verfügte, einschließlich Streubomben. Er sorgte auch dafür, dass der Irak die erforderlichen Kredite [zur Fortführung des Krieges, ML] erhielt und mit Feindaufklärung sowie strategischen militärischen Ratschlägen versorgt wurde. Die CIA beschaffte dem Irak auch militärischen Nachschub für seine sowjetischen Waffensysteme, über dritte Parteien, darunter Israel und Ägypten.»

Doch die USA belieferten auch den Iran mit Waffen, im Rahmen der «Iran-Contra-Affäre». Die Iraner waren angewiesen auf amerikanisches Kriegsgerät, weil sie überwiegend mit Beständen aus Schah-Zeiten kämpften: Der Schah war der weltweit größte Einkäufer von US-Waffen gewesen. Nachschub und Ersatzteile erwarben sie über Mittelsmänner und auf dem Schwarzmarkt, in Europa, Asien, Südamerika. Offenbar regte dieser Handel auch die Phantasie der Geheimdienste an. Die CIA begründete ein Dreiecksgeschäft: Über Dritte, darunter Israel, verkaufte sie US-Waffen an den Iran und nutzte die Erlöse, um die rechtsgerichteten Contra-Rebellen zu finanzieren, die den Sturz der demokratisch gewählten Linksregierung der Sandinisten in Nikaragua herbeizuführen suchten. Bis heute ist unklar, ob dieses Geschäft von höchster Stelle eingefädelt wurde. Bei den Anhörungen zu der Affäre im US-Kongress 1987 konnte sich Präsident Reagan an nichts erinnern, war CIA-Chef Casey soeben verstorben. Der Skandal erwuchs weniger aus dem Dreiecksgeschäft selbst als vielmehr aus den Begleitumständen – eigentlich war vorgesehen, so hieß es offiziell, zumindest Teile der Gelder aus dem Waffengeschäft für den Freikauf amerikanischer Geiseln im Libanon zu verwenden, was nicht der Fall war. Außerdem wurde bekannt, dass die Contras über Jahre hinweg Kokain in die USA geschmuggelt hatten, tonnenweise, mit Wissen und Billigung der CIA.

1988 endete der irakisch-iranische Krieg mit einem Waffenstillstand entlang der alten Grenzen. Rund eine Million Menschen hatten den Waffengang mit ihrem Leben bezahlt, drei Viertel davon Iraner. Besaß der Irak 1979 noch Goldreserven in Höhe von 35 Milliarden Dollar, war das Land nach dem Krieg mit mehr als 80 Milliarden Dollar verschuldet. Gleichzeitig fiel der Preis für ein Barrel Öl auf zehn Dollar, wesentlich der Überproduktion Kuweits und der Vereinigten Arabischen Emirate geschuldet. Überdies nutzte Kuweit das mit dem Irak gemeinsam ausgebeutete, grenzübergreifende Ölfeld Rumaila weit über die vereinbarte Quote hinaus. Das Regime Saddam Husseins sah keinen Ausweg aus der Schuldenfalle, zumal weder die Golfstaaten noch die USA bereit waren, dem Irak Schulden in nennenswertem Umfang zu erlassen. Nachdem Saddam schon zuvor wegen der Grenzstreitigkeiten um Rumaila mit Krieg gedroht hatte, fassten er und sein engster Machtzirkel Anfang 1990 den folgenschweren Beschluss, Kuweit zu besetzen und damit zum weltweit größten Erdölproduzenten zu werden.

Der irakische Diktator hätte wissen können, dass die amerikanische Politik gegenüber den Golfstaaten der Carter-Doktrin von 1980 folgte. Sie besagt, dass die USA nötigenfalls Gewalt einsetzen werden, um ihre «nationalen Interessen» am Golf zu verteidigen. Kuweit war zu der Zeit neben Saudi-Arabien der wichtigste Erdöllieferant der Amerikaner. Es war klar, dass sie auf den irakischen Einmarsch in Kuweit am 2. August 1990 reagieren würden. Andererseits hatte die US-Botschafterin in Bagdad, April Glaspie, Saddam Hussein noch eine Woche zuvor, am 25. Juli, erklärt: «Ich weiß, dass Sie Gelder benötigen. Wir verstehen das, und wir glauben, dass Sie die Gelegenheit erhalten sollten, Ihr Land wiederaufzubauen (…) Wir haben keine Meinung zu innerarabischen Konflikten, auch nicht zu Ihren Grenzstreitigkeiten mit Kuweit (…).»

Saddam Hussein verstand diese wohlwollenden Ausführungen als stillschweigendes Einverständnis für den bevorstehenden Überfall. Die Amerikaner wussten, dass 30 000 irakische Soldaten an der Grenze zu Kuweit aufmarschiert waren, die US-Flotte im Persischen Golf stand bereits in Alarmbereitschaft. Hätte die US-Botschafterin mit der Faust auf den Tisch geschlagen und ihn eindringlich vor den Folgen seines Tuns gewarnt – vielleicht wäre der Lauf der Geschichte ein anderer gewesen.

Eine Tankstelle wird befreit

Nach dem Einmarsch schmiedeten die Amerikaner eine internationale Koalition unter ihrer Führung, die am 17. Januar 1991 mit der militärischen Rückeroberung Kuweits begann. Sechs Wochen später waren die Iraker vertrieben, allerdings hatten sie auf ihrem Rückzug die Ölfelder in Brand gesetzt. Im Irak probten derweil die Schiiten im Süden den Aufstand gegen die sunnitischen Machthaber – in der irrigen Annahme, die Amerikaner würden ihnen zu Hilfe kommen. Doch die Regierung Bush senior wollte sich auf keinen Fall in innerirakische Auseinandersetzungen hineinziehen lassen. Diesen Fehler sollte erst George Bush junior 2003 begehen, im nächsten Golfkrieg.

Auch der Kuweit-Krieg unterstreicht den Fluch der bösen Tat. Washington wollte um jeden Preis den Iran im irakisch-iranischen Waffengang geschwächt sehen und verhinderte den Sieg Teherans. Das Ergebnis war ein drohender irakischer Staatsbankrott, aus dem der nächste Krieg erwuchs. Saddam Hussein, eben noch ein Verbündeter im Dienst westlicher Machtpolitik, fiel in dem Moment in Ungnade, als er sich, despektierlich gesagt, an der amerikanischen Tankstelle Kuweit verging. Für ihre militärische Befreiung benötigten die USA rund 62 Milliarden Dollar, die Hälfte dieser Kosten übernahm Saudi-Arabien. Unter dem Strich machten die Amerikaner sogar noch Gewinn, da nicht allein die Golfstaaten Geld beisteuerten, sondern auch die Europäer. Deutschland beteiligte sich mit mehreren Milliarden.

Nach dem Überfall auf Kuweit griff das bereits bekannte Muster. Innerhalb kürzester Zeit stieg Saddam Hussein in der westlichen Politik und den Medien auf zur Verkörperung von Irrationalität, Fanatismus und Grausamkeit schlechthin. Jetzt erst wurde ihm das Giftgasmassaker in der kurdischen Stadt Halabdscha 1988 zum Vorwurf gemacht, bei dem bis zu 5000 Menschen starben – in der Regel blieb unerwähnt, woher die Chemiewaffen stammten. Auch Saddams brutale Niederschlagung des schiitischen Aufstands fand breite Resonanz, weil es nunmehr ins Bild passte: ein zweiter Hitler.

Als viel folgenschwerer allerdings sollte sich die Resolution 661 des Sicherheitsrates der Vereinten Nationen erweisen, die am 6. August 1990 auf amerikanische Initiative verabschiedet und erst nach dem Sturz Saddams 2003 aufgehoben wurde. Sie verhängte ein umfassendes Wirtschaftsembargo gegen den Irak, von dem lediglich «die medizinische Versorgung, Nahrungsmittel und andere lebensnotwendige Güter» ausgenommen wurden, soweit vom Sanktionskomitee genehmigt. Das allerdings genehmigte so gut wie gar nichts, hier gaben die USA und Großbritannien den Ton an – mit fatalen Folgen. Offenbar in dem Bestreben, die Iraker kollektiv ins Elend zu stürzen und damit eine Revolte gegen das Saddam-Regime auszulösen, wurde die Sanktionspolitik ein Instrument der bewussten und vorsätzlichen Massentötung. Das Sanktionskomitee ließ kaum Medikamente, medizinisches Gerät oder wichtige Chemikalien ins Land, etwa Chlor zur Trinkwasseraufbereitung. Nicht einmal Bleistifte durften in den Irak exportiert werden, wobei die offizielle Begründung meist auf «dual use» lautete: Könnte auch vom Militär verwendet werden. Kurz vor Weihnachten 1999 verweigerte die Regierung in London den Export von Impfstoff gegen Diphterie und Gelbfieber für irakische Kinder. Der könne, so die Befürchtung, «für die Herstellung von Massenvernichtungswaffen verwendet werden». Zehn Jahre nach Beginn der Sanktionen funktionierten im Irak kaum noch medizinische Geräte, mangels Ersatzteilen. Selbst Aspirin gab es, wenn überhaupt, nur auf dem Schwarzmarkt, zu horrenden Preisen. Auch Mullbinden oder Pflaster waren Mangelware. Eine Krebserkrankung etwa lief auf ein sicheres Todesurteil hinaus, ebenso Diabetes. Wer nicht das Geld hatte, sich in Jordanien behandeln zu lassen, starb. Von der westlichen Öffentlichkeit weitgehend unbeachtet, bezahlten weit mehr als eine Million Iraker die Sanktionspolitik mit dem Leben, mindestens die Hälfte davon Kinder.

«‹Die Gegend um Basra ist tödlich›, sagt Dr. Jawad Al-Ali, ein Krebsspezialist und Mitglied von Großbritanniens Königlicher Ärzte-Vereinigung», heißt es in einer Reportage der Londoner Zeitung «The Guardian» vom März 2000. «‹Unsere Untersuchungen gehen davon aus, dass mehr als 40 Prozent der Bevölkerung in der Region Basra an Krebs erkranken werden, auf Jahre hinaus. Die meisten meiner Familienangehörigen haben Krebs (...) auch das medizinische Personal des Krankenhauses. Die Ursache ist eine Verseuchung, deren genaue Ursache wir nicht kennen. Wir dürfen keine Geräte beziehen, mit denen sich eine ordnungsgemäße wissenschaftliche Untersuchung durchführen ließe, nicht einmal Messinstrumente, mit denen wir unsere eigene Verstrahlung feststellen könnten. Wir vermuten, dass angereichertes Uran Ursache des sprunghaften Anstieges an Krebserkrankungen ist. Amerikaner und Briten haben abgereicherte Uran-Munition während des Golfkrieges im Süden eingesetzt (...) Gleichzeitig blockiert das Sanktionskomitee die Lieferung lebensnotwendiger Medikamente, Schmerzmittel ebenso wie Jodtabletten zur Chemotherapie.›»

Parallel griffen amerikanische und britische Flugzeuge fast täglich Ziele im Irak an, was Tausende Zivilisten das Leben kostete – Kollateralschäden. Der Ire Denis Halliday, stellvertretender Generalsekretär der Vereinten Nationen und einer der Koordinatoren der «humanitären Irakhilfe», trat 1998 unter Protest von seinem Amt zurück: «Die Politik der Wirtschaftssanktionen ist vollkommen korrupt. Wir sind auf bestem Weg, eine Gesellschaft vollständig zu zerstören. Das ist die erschreckende Wahrheit (…) Jeden Monat sterben 5000 Kinder. Ich möchte für kein Programm verantwortlich sein, das zu solchen Zahlen führt.» Seinen Nachfolger, den Deutschen Hans von Sponeck, hielt es keine zwei Jahre im Amt, bevor auch er unter Protest aufgab: «Wie lange noch», fragte er, «soll die irakische Zivilbevölkerung für etwas bezahlen, wofür sie nichts kann?»

Kinder sterben, aber «wir glauben, dass es den Preis wert ist»

Die Bevölkerung machte nicht das Saddam-Regime für ihr Elend verantwortlich, sondern den Westen. Die ursprünglich starke Mittelschicht wurde durch die Sanktionen vollständig zerstört und in die Armut getrieben, vor allem als Folge der galoppierenden Inflation. Nach wenigen Jahren gab es im Irak nur noch eine dünne Schicht Vermögender aus dem Umfeld des Regimes, die übrigen 90 bis 95 Prozent der Bevölkerung lebten von der Hand in den Mund. Allein in den kurdischen Gebieten im Norden war die Lage weniger dramatisch. Mit westlicher Unterstützung, darunter der Einrichtung einer Flugverbotszone für irakische Kampfjets, begannen sie damals ihren Weg in Richtung Autonomie und De-facto-Unabhängigkeit.

Zu jener Zeit begegnete man in Bagdad häufig Taxifahrern in zerschlissenen Armani- oder Boss-Anzügen, ehemaligen Hochschullehrern oder leitenden Angestellten, für die früher ein Urlaub in der Schweiz nichts Ungewöhnliches gewesen war und die nun sich und ihre Familie irgendwie über Wasser zu halten versuchten. Betrug die Alphabetisierungsrate 1989 noch 95 Prozent, die höchste in der arabischen Welt, war sie 2000 um mehr als die Hälfte gefallen. Das Gesundheitssystem, vormals eines der besten der Welt, lag am Boden, die Kinder-Sterblichkeitsrate war innerhalb von zehn Jahren von einer der niedrigsten weltweit umgeschlagen in eine der höchsten. Diese namentlich von den USA und Großbritannien vorsätzlich herbeigeführte Verelendung der irakischen Bevölkerung gehört zu den am wenigsten bekannten oder besser gesagt zur Kenntnis genommenen Verbrechen westlicher Politik nach dem Zweiten Weltkrieg. Sie ist eine der wesentlichen Ursachen für den Zusammenbruch zivilisatorischer Werte im Irak wie auch des irakischen Staates. Auf diesen Zusammenbruch folgte, wenige Jahre und einen weiteren Krieg später, die Schreckensherrschaft der Milizen, allen voran des «Islamischen Staates».

Am 12. Mai 1996 fragte der Moderator der beliebten US-Nachrichtensendung «60 Minutes» Außenministerin Madeleine Albright: «Eine halbe Million Kinder sollen im Irak mittlerweile gestorben sein. Das sind mehr Kinder, als in Hiroshima gestorben sind. Ist das den Preis wert?» Madeleine Albrights Antwort: «Ich denke, das ist eine sehr harte Wahl, aber der Preis – wir glauben, dass es den Preis wert ist.» Zwei Jahre später erklärte sie auf einer Veranstaltung in Cleveland, Ohio: «Ich wette, dass wir uns mehr Gedanken machen über das irakische Volk als Saddam Hussein.» Und: «Wenn wir Gewalt anwenden, dann deswegen, weil wir Amerika sind! Wir sind die unverzichtbare Nation. Wir haben Größe, und wir blicken weiter in die Zukunft.»

Man sollte glauben, dass mit der Befreiung Kuweits im Februar 1991 die Grundlage für die Resolution 661 entfallen wäre und sich damit auch die Sanktionen erledigt hätten. So zu denken hieße allerdings, das Imperium zu unterschätzen. Am Vorabend des Kuweit-Krieges erklärte

Präsident Bush senior, gänzlich auf Linie mit der Carter-Doktrin von 1980: «Der Zugang zum Öl des Persischen Golfs und die Sicherheit befreundeter Schlüsselstaaten in der Region sind entscheidend für die nationale Sicherheit der USA (…) Die Vereinigten Staaten halten daran fest, ihre grundlegenden Interessen in der Region zu verteidigen, notfalls mit militärischer Gewalt, gegen jede Macht, deren Interessen den unseren schaden.» Der Griff nach der Tankstelle Kuweit wurde somit zum Anfang vom Ende der Herrschaft Saddams – diese Anmaßung verlangte nach Vergeltung, ohne Rücksicht auf Verluste. Gleichzeitig enthielt das amerikanische Vorgehen eine unmissverständliche Warnung an die übrigen Machthaber der Region: Legt euch nicht mit uns an.

Kurz nach seiner Amtseinführung 1993 verkündete Präsident Clinton eine weitere außenpolitische Doktrin, die des «Dual Containment», der zweifachen Eingrenzung, nämlich von Irak und Iran. Diese Doktrin markiert den Beginn einer Politik der Konfrontation, die einen Neuanfang im Verhältnis der USA zum Iran faktisch ausschloss. Stattdessen sollten die Islamische Republik wie auch der Irak Saddam Husseins mit Hilfe von Wirtschaftssanktionen geschwächt und auf diese Weise Regimewechsel herbeigeführt werden. Somit wird auch verständlich, warum der UN-Sicherheitsrat, stets auf amerikanische und britische Initiative, bis zum Sturz Saddams 13 Folgeresolutionen zu 661 verabschiedete, sämtlich mit dem Ziel, die bereits bestehenden Sanktionen zu vertiefen und auszuweiten. Nunmehr stand der Vorwurf im Raum, der Irak entwickle biologische und chemische Kampfstoffe, umgehe die Bestimmungen des Atomwaffensperrvertrages und strebe nach «Massenvernichtungswaffen». Jahrelange UN-Inspektionen konnten diesen Verdacht nicht substantiell erhärten, ein «rauchender Colt» wurde nicht gefunden.

Saddam stürzen

Dessen ungeachtet verlangte die neokonservative Denkfabrik «Project for the New American Century» 1998 in einem offenen Brief an Präsident Clinton, das Regime Saddam Husseins militärisch zu stürzen, damit es nicht in den Besitz von «Massenvernichtungswaffen» gelangen könne. Zu den Unterzeichnern gehörte die *crème de la crème* der amerikanischen Neokonservativen, darunter John R. Bolton, Richard Perle, Donald Rumsfeld, Paul Wolfowitz.

Wofür genau steht der Begriff «Neokonservatismus»? Auf den Punkt gebracht handelt es sich um einen messianischen Konservatismus mit dem Ziel einer globalen *Pax Americana.* Werte wie Freiheit, Demokratie, Rechtsstaatlichkeit werden ideologisch instrumentalisiert, um sie als Rammbock machtpolitischer Interessen einzusetzen. So soll die amerikanische Hegemonie weltweit durchgesetzt und verteidigt werden, in Verbindung mit einem so weit wie möglich deregulierten, deutlich am Finanzkapital ausgerichteten Wirtschaftssystem. Weniger freundlich gesagt: Sozialdarwinismus gepaart mit Größenwahn und Zynismus.

Mit dem Wahlsieg von George W. Bush 2000 gelangte der Neokonservatismus an die Macht. Der neue Präsident holte obige Unterzeichner in Führungspositionen, und kurz nach seiner Amtseinführung behandelte der Nationale Sicherheitsrat erstmals das Thema Regimewechsel im Irak. Sechs Monate später, im Juli 2001, legte das Verteidigungsministerium konkrete Pläne für eine militärische Intervention vor, von der sich der alte Saddam-Freund Donald Rumsfeld «eine wesentlich verbesserte Position in der Region und andernorts» für die USA versprach.

Wie aber einen solchen, eindeutig völkerrechtswidrigen

Angriff legitimieren? Mit Hilfe der Terroranschläge des 11. September 2001. Schon am Tag darauf wurde im Kabinett darüber diskutiert – ungeachtet der Tatsache, dass Bagdad mit den Anschlägen nichts zu tun hatte. Ein so schnell wie möglich zu führender «Krieg gegen den Terror» war Konsens, nur über die Reihenfolge herrschte Uneinigkeit. Erst Afghanistan und dann Irak? Oder umgekehrt? Unter Verweis auf die Gefühlslage der US-Öffentlichkeit empfahl Außenminister Colin Powell, zunächst Al-Qaida ins Visier zu nehmen, dann erst den Irak. Im Falle Afghanistans bemühten sich die USA um ein UN-Mandat und bekamen es auch. Im Falle Iraks war Washington auf eine «Koalition der Willigen» angewiesen, unter Führung der USA und Großbritanniens. Die UN-Vetomächte Russland, China, Frankreich, aber auch Deutschland waren gegen diesen Krieg, dem jede Legitimität fehlte, jenseits imperialer Politik. Die von amerikanischer Seite genannten Begründungen für einen Waffengang, der sich spätestens Mitte 2002 unwiderruflich abzeichnete, variierten, waren aber frei erfunden. Mal hieß es, der Sturz Saddams sei Voraussetzung für die Demokratisierung des Nahen und Mittleren Ostens, dann wiederum verlautete, das irakische Regime habe über seine Botschaft in Prag Kontakt zum 9/11-Attentäter Mohammed Atta unterhalten, vor allem aber lautete der Vorwurf auf den Besitz von «Massenvernichtungswaffen». Unbestrittener Höhepunkt dieser medialen Inszenierungen und ein Tiefpunkt amerikanischer Glaubwürdigkeit war der Auftritt Colin Powells vor dem Sicherheitsrat der Vereinten Nationen, wo er am 5. Februar 2003 angeblich unumstößliche Beweise für biologische und chemische «Massenvernichtungswaffen» in den Händen des Saddam-Regimes vorlegte. Allerdings handelte es sich dabei um plumpe Fälschungen der Geheimdienste.

Mission accomplished

Der Rest ist Geschichte. Am 19. März 2003 begann der US-geführte Angriffskrieg gegen den Irak, am 7. April marschierten Amerikaner und Briten in Bagdad ein, eine Woche später erklärte das Pentagon die Kampfhandlungen für beendet. Am 1. Mai schließlich hielt Präsident Bush auf dem Flugzeugträger USS Abraham Lincoln seine berühmte «Mission accomplished»-Rede, stilecht in Piloten-Kampfmontur. Sollte heißen: Das war's, in Sachen Irak. Wir sind die Gewinner, das Thema ist durch.

In Wirklichkeit ging es jetzt erst richtig los. Die Amerikaner, besessen von ihrem Wunsch, Saddam zu stürzen, hatten keinen Plan für den Tag danach. Sie sahen wenig Anlass, sich mit Geschichte, Religion oder Kultur des Landes zu befassen, und vertrauten darauf, als Befreier begrüßt zu werden. Deutschland und Japan nach dem Zweiten Weltkrieg galten als Vorbild: Dort sei es ja auch gelungen, erfolgreich die Demokratie einzuführen. Kaum ein *Neocon*, der diesen abwegigen Vergleich nicht bemühte.

Der Irak ist ein nach dem Ende des Ersten Weltkrieges künstlich von den Kolonialmächten geschaffener Staat ohne einheitliches Staatsvolk. Drei Bevölkerungsgruppen sind prägend: im Norden die überwiegend sunnitischen Kurden, die keine Araber sind, sich aber wie diese in zahlreiche Stammesverbände und Clans unterteilen. Sie machen etwa 20 Prozent der Gesamtbevölkerung aus, ebenso die arabischen Sunniten im Zentrum des Iraks. Diese arabischen Sunniten, obgleich eine Minderheit, stellten seit der Frühzeit des Osmanischen Reichs, seit Jahrhunderten also, die Machtelite. Rund 60 Prozent der Bevölkerung entfallen auf arabische Schiiten, die überwiegend im Süden leben. Das irakische Erdöl befindet sich fast ausschließlich in den kurdischen und in den schiitischen Gebieten – die Sunniten gehen leer aus. Andere religiöse und ethnische Gruppen, darunter Christen, sind zahlenmäßig klein und politisch ohne Bedeutung. Um den Zentralstaat zu stärken und die eigene Macht zu festigen, setzte Saddam Hussein auf das Militär und die Geheimdienste. Gleichzeitig wurde die nominell regierende arabisch-nationalistische Baath-Partei (Baath = Wiedergeburt) ein Sammelbecken seiner Anhänger und Günstlinge. Mit eiserner Faust hatte er das Land zusammengehalten – die sunnitische Machtelite verteidigte ihre Vorherrschaft, indem sie Kurden wie Schiiten gleichermaßen terrorisierte. Fast alle Führungspositionen besetzte er mit Angehörigen seines eigenen Stammes, der sunnitischen Tikrit, aus der Region um die gleichnamige Stadt nordwestlich von Bagdad. Dort war Saddam Hussein nach seiner Flucht auch untergetaucht. Im Dezember 2003 wurde er in einem Erdloch gefangengenommen, später von einem irakischen Gericht zum Tode verurteilt und am 30. Dezember 2006 gehenkt.

Welche Fehler haben die USA nach dem Sturz Saddams begangen? Die Frage ließe sich mit Hilfe der Gegenfrage schneller beantworten – welche haben sie ausgelassen? Die drei Kardinalfehler:

1.) Das Machtvakuum unmittelbar nach dem Einmarsch in Bagdad beförderte die Ausbreitung von Anarchie und Chaos. Unter den Augen von Amerikanern und Briten wurden, mit Ausnahme des von Soldaten gesicherten Erdölministeriums, alle Ministerien, Banken, Museen und sonstige öffentlichen Einrichtungen geplündert. Die Besatzer zeigten kein Interesse, für Sicherheit und Ordnung zu sorgen und die zusammengebrochene Wasser- und Stromversorgung wiederherzustellen. Im Mai 2003 nahm der von Präsident Bush eingesetzte Zivilverwalter Paul Bremer seine Arbeit auf und blieb bis zu den ersten Parlamentswahlen im

Januar 2005 im Amt. Bremers bemerkenswerte Inkompetenz und sein absurder Versuch, aus dem völlig zerstörten Land, dessen Bevölkerung zu mehr als der Hälfte unterhalb der Armutsgrenze lebte, einen neoliberalen Modellstaat zu schaffen, mit Privatisierungen allenthalben, zerstörten die letzten Reste an funktionierender Zentralstaatlichkeit. Die 1972 erfolgte Verstaatlichung der irakischen Erdölindustrie machte er rückgängig, die neu vergebenen Explorationslizenzen erhielten, wer hätte es gedacht, vor allem US- und britische Firmen: Exxon, Chevron, Halliburton, BP, Shell. In einem ungewohnt kritischen Bericht über «Irak – zehn Jahre danach» erinnerte CNN am 13. April 2003 daran, dass «Big Oil» in den Wahlkampf von George W. Bush mehr Geld investiert hatte als je zuvor in einen Wahlkampf. Wie zu erwarten ernannte Bush den Energie- und Erdöllobbyisten Dick Cheney zum Vizepräsidenten. Unter dessen Federführung legte die neu geschaffene «National Energy Policy Development Group» bereits im März 2001 Pläne für die Neuverteilung des irakischen Erdöls zugunsten der Ölmultis vor. Fazit von CNN: «Ja, im Irakkrieg ging es um Öl, und es gab einen klaren Gewinner in diesem Krieg: Big Oil.»

2.) Paul Bremer und die amerikanische Besatzungsmacht haben nicht einmal in Ansätzen den Versuch unternommen, religiöse, ethnische oder Stammesführer in einen «nationalen Dialog» für die Neuordnung einzubeziehen. Nach Gutsherrenart bestimmte Bremer einzelne Vertreter der jeweiligen Gruppen als Ansprechpartner, sah sie aber nicht als Iraker an, sondern als «Sunniten», «Kurden» oder «Schiiten». Beraten ließ er sich dabei vornehmlich von dubiosen Exil-Irakern, die vor Ort über keinerlei Rückhalt oder Glaubwürdigkeit verfügten, aber den maßgeblichen Neokonservativen über Jahre hinweg erzählt hatten, was sie zu hören wünschten. Bremer spielte ausschließlich die konfessionelle, respektive die «Stammeskarte», nicht die «irakische». Um gehört zu werden, hatten irakische Führer und mit ihnen die Bevölkerung kaum eine andere Wahl, als sich ihrerseits zu «regionalisieren». Vor allem die religiöse Zugehörigkeit, Sunnit oder Schiit, hatte im Alltag bis zum Sturz Saddams nur eine untergeordnete Rolle gespielt. Mischehen waren weit verbreitet, gemeinsam bewohnte man dieselben Stadtviertel. Nunmehr wurde die Saat gelegt für die Konfessionalisierung des Landes, aus der wiederum, ein Jahr später, Al-Qaida im Irak erwuchs und 2006 die Vorläuferorganisation des «Islamischen Staates».

3.) Der gravierendste Fehler aber war die von Paul Wolfowitz, dem stellvertretenden Verteidigungsminister, initiierte Entscheidung, die irakische Armee aufzulösen und die Baath-Partei als «kriminelle Vereinigung» zu verbieten. Damit verloren Hunderttausende Iraker, überwiegend Sunniten, ihren Job und ihre Existenzgrundlage. Mehr noch, sie waren auf schmähliche Weise entmachtet und gedemütigt worden. Für die Sunniten, über Jahrhunderte die Machtelite im Irak, ein nicht hinzunehmender Affront. Diese elementare Fehlentscheidung wurde zur Geburtsstunde des sunnitischen Widerstands gegen die amerikanische Besatzung und die neuen schiitischen Machthaber, und sie legte den Grundstein für Terror und Gewalt. Viele von Saddams ehemaligen Generälen und Offizieren und mit ihnen Abertausende Ex-Soldaten, Parteikader, Geheimdienstleute tauchten nunmehr in den Untergrund ab.

Demokratie als Trugbild

In Afghanistan wie auch im Irak haben die westlichen Interventionsmächte großen Wert darauf gelegt, so schnell wie möglich Wahlen abzuhalten und einer zumindest formell demokratisch legitimierten Regierung an die Macht zu verhelfen, die dann als Ansprechpartner des Westens dient (und die entsprechenden Unterschriften leistet, etwa für die Straffreiheit westlicher Soldaten und Söldner). Die systematischen, in großem Umfang betriebenen Wahlfälschungen in Afghanistan wurden dabei geflissentlich ignoriert. Ebenso spielte keine Rolle, dass eine Demokratie im Kontext von Staatszerfall, einer feudalistisch geprägten Gesellschaftsordnung, von ethnischen und religiösen Spannungen nicht bestehen kann, erst recht nicht als Instrument einer fortgesetzten, westlichen Kuratel-Politik. Eine Demokratie, die mehr sein will als Fassade oder Alibi, setzt ein stabiles Fundament und gute Regierungsführung voraus. Dazu gehört ein Konsens über den einzuschlagenden Weg: Gewaltenteilung, Rechtsstaatlichkeit, Pluralität. Unter den Bedingungen von Armut, Ausgrenzung, endemischer Gewalt und Perspektivlosigkeit, im Schatten einer Besatzung, die tausendfach «Kollateralschäden» unter Zivilisten herbeiführt, zunehmend durch den Einsatz von Kampfdrohnen, kann dieses Modell kaum funktionieren. Erst recht nicht nach Jahrzehnten der Diktatur, unmittelbar nach einem von außen erzwungenen Regimewechsel. Ein solches Vorgehen begünstigt den Aufstieg regionaler Warlords und die Verfestigung feudaler Strukturen. Entsprechend agieren einheimische Politiker wie gewohnt: als bloße Klientelvertreter, als Anführer ihrer jeweiligen Clans, Stämme, religiösen oder ethnischen Gruppen, mehr oder weniger im Sold auswärtiger Drahtzieher.

Ein erhellendes Beispiel ist Nuri al-Maliki, irakischer Premierminister von April 2006 bis August 2014. Bei den ersten freien Wahlen 2005 siegten erwartungsgemäß schiitische Parteien – die Schiiten stellen die Bevölkerungsmehrheit. Bei den Wahlsiegern bestimmte aber nicht der Gedanke an eine Teilung der Macht oder an Versöhnung die Agenda, sondern der Wunsch nach Rache. Rache an den Sunniten für Jahrhunderte der Unterdrückung und der Gewalt, zuletzt die Massenhinrichtungen 1991. Gezielt und systematisch ließ Maliki die meisten Sunniten aus Führungspositionen und der staatlichen Verwaltung entfernen, schloss sie von der Ressourcenverteilung weitgehend aus und befeuerte damit den sunnitischen Aufstand. In seiner zweiten Amtszeit, ab 2010, suchte er die Macht vollständig an sich zu reißen, war er nicht allein Premier, sondern auch Innen- und Verteidigungsminister, Chef der Geheimdienste und Oberkommandierender der Armee. Demonstrationen oder Proteste der Sunniten gegen ihre Diskriminierung ließ er niederschlagen, auch mit Hilfe von Todesschwadronen, seinen sunnitischen Stellvertreter unter fadenscheinige Terroranklage stellen. Dennoch wurde er sowohl aus Washington wie auch aus Teheran jahrelang unterstützt – der schiitische Iran wurde nach dem Sturz des Sunniten Saddam zum wichtigsten Verbündeten Bagdads neben Washington, sehr zur Verärgerung der Amerikaner. Maliki musste schließlich zurücktreten, weil seine anti-sunnitische Politik angesichts des Vormarsches des «Islamischen Staates» nicht länger tragfähig war. Eine Allianz gemäßigter Sunniten und Schiiten gegen die Dschihadisten, wie von Washington und Teheran erhofft, wäre unter seiner Führung undenkbar gewesen.

Sunniten gegen Schiiten

Die Zerstörung der irakischen Gesellschaft als Folge der Sanktionen, der Zerfall des Zentralstaates und das Unvermögen der Regierung Maliki sind der Nährboden, auf dem sunnitische wie schiitische Milizen und Terrororganisationen wachsen und gedeihen konnten. Der Aufstand gegen die amerikanische Besatzung (2003–2011) wurde vor allem von Sunniten getragen, wobei radikale Islamisten bald schon die Richtung vorgaben. Al-Qaida setzte sich im Irak fest, unter Führung des Jordaniers Abu Musab al-Sarkawi. Nach dessen Tod 2006 durch eine amerikanische Bombe ging aus dem Umfeld von Al-Qaida im Irak eine neue Gruppe hervor, die erst «Islamischer Staat im Irak», dann «Islamischer Staat im Irak und der Levante» hieß und sich seit Juni 2014 «Islamischer Staat» (IS) nennt.

Radikale Sunniten bekämpften nicht allein die Amerikaner und ihre Verbündeten, sondern verübten auch Bombenanschläge gegen Schiiten, etwa auf Märkten oder belebten Plätzen. Deren Extremisten wiederum machten Jagd auf Sunniten. Bagdad wurde zur geteilten Stadt. Für Sunniten war es nunmehr lebensgefährlich, sich in schiitischen Vierteln aufzuhalten, und umgekehrt. Stellten die Sunniten 2003 noch knapp die Hälfte der Bevölkerung in der Hauptstadt, waren es zehn Jahre später nur noch 15 bis 20 Prozent. Zehntausende sind geflohen. Da der Iran die Schiiten unterstützt und Saudi-Arabien die Sunniten, wurde aus dem innerirakischen Konflikt ein konfessionell aufgeladener Stellvertreterkrieg mit bis zu 3000 Toten im Monat. Die Religion ist dabei jedoch nicht Ursache, sondern Bruchlinie, ein Vehikel im Kampf um Macht, Vorherrschaft und Ressourcen. Die amerikanischen Besatzer und ihre Verbündeten reagierten auf diese Entwicklung mit den gewohnten Mitteln, noch mehr Soldaten und noch mehr Geld, in diesem Fall zum Kauf von Stammesführern. Doch trugen sie damit ebenso wenig zu einer dauerhaften Beruhigung bei wie mit ihrer fortgesetzten Brutalität, ikonographisch festgehalten in den Folterbildern von Abu Ghraib.

Für die Zahl der Toten im Irak gibt es übrigens keine gesicherten Angaben. Sie variieren je nach Quelle erheblich und können mangels offizieller Statistiken nur Schätzungen sein. Der US-geführte Einmarsch selbst, bis zur Einnahme Bagdads, soll demzufolge 30 000 bis 150 000 Menschen das Leben gekostet haben, Soldaten ebenso wie Zivilisten. Die Anzahl der Toten als Folge des Widerstandes gegen die Besatzung und der innerirakischen Auseinandersetzungen beläuft sich auf mindestens eine halbe Million. Es ist sicher nicht falsch, von rund zwei Millionen getöteten Irakern seit der Kuweit-Invasion 1990 und den darauf folgenden Sanktionen auszugehen. Und das Sterben geht weiter. Auch nach dem Ende der Besatzung setzte sich die (Selbst-)Zerstörung Iraks fort. Nunmehr geriet das Land in den Sog des Krieges in Syrien, der seit 2011 die Region erschüttert.

«Gute» und «böse» Dschihadisten: Wie der Westen vermeidet, aus seinen Fehlern zu lernen

Nicht allein im Irak ist die Lage dramatisch, allenthalben in der arabischen Welt stehen die Zeichen auf Sturm. Entweder zerfallen ganze Staaten und geraten unter den Einfluss mörderischer, islamistischer Milizen (so auch in Libyen, Syrien, im Jemen, teilweise im Libanon und im Sudan), oder aber sie erstarren in Autokratie, einer trügerischen Ruhe – allen voran Ägypten und die Golfstaaten. Von der Hoffnung auf ein besseres Leben, auf Freiheit und Demokratie, die der arabische Frühling vor wenigen Jahren erst verhieß, ist wenig mehr geblieben als Resignation und Fatalismus. Der im Westen vorherrschende Eindruck, diese Entwicklung sei wohl in erster Linie der Religion geschuldet, Islam sei gleich Mittelalter, verkennt die wirklichen Ursachen: Einflussnahme von außen bis hin zur Intervention sowie gesellschaftliche Rahmenbedingungen, die eher der Restauration als einer Revolution in die Hände spielen. Die Hoffnung auf ein besseres Leben allein ist kein Garant für den Wandel.

Generell durchlebt die arabische Welt gegenwärtig eine Art Häutung. Die alte Ordnung ist tot, die neue zeichnet sich in Umrissen ab, ist aber noch lange nicht wirkungsmächtig genug, tatsächlich politisch Gestalt anzunehmen. Auf der einen Seite feudale Verhältnisse, bis hin zur Leibeigenschaft auf dem Land und einem Verständnis von Autorität in Staat, Gesellschaft und Familie, das in erster Linie Unterordnung bedeutet. Auf der anderen eine futuristisch anmutende, urban geprägte, weltoffene Postmoderne, am sichtbarsten in der Skyline der Golfstädte, etwa Dubai oder Abu Dhabi. Beide Welten bestehen nebeneinander, zeitgleich, in vielen Schattierungen und Nuancen, auch mit Blick auf das Werteempfinden. Das führt zu zahlreichen Brüchen und Blockaden und entlädt sich oft genug explosiv.

Die arabische Revolte war der Versuch, mit Hilfe der Straße und des Internets, getragen von der städtischen Jugend, die neue Zeit auch politisch einzuleiten – weg von den Königen und Generälen, den Stammesführern und Scheindemokraten, die seit der Unabhängigkeit der arabischen Staaten nach dem Zweiten Weltkrieg vor allem damit beschäftigt waren, die Macht der eigenen Familie zu festigen und möglichst zu verewigen. Für die Entwicklung ihrer Länder haben diese Alleinherrscher wenig geleistet, den Staat und seine Ressourcen betrachten sie noch immer in erster Linie als ihren Privatbesitz. Der arabische Aufstand 2011 führte jedoch nicht zur Revolution. Er konnte nicht gelingen, weil die soziale Basis der Aufständischen, die bürgerlichen Mittelschichten, viel zu schwach ausgeprägt war, um das *ancien régime* zu entmachten. Auf dem Tahrir-Platz in Kairo zeigte sich für einen Moment eine Allianz aus Islamisten und säkularen Kräften, aus arm und reich, die sich aus dem Gefühl speiste: Nieder mit dem Herrscher. Sie sollte sich aber als zu kurzlebig erweisen, um die Revolte nachhaltig zum Sieg zu führen.

Mit der Französischen Revolution von 1789 griff das Bürgertum nach der Macht und verdrängte Adel und Klerus. In der Folge löste die Industrie- die Feudalgesellschaft ab – ein zäher und blutiger Prozess, der sich bis weit ins 20. Jahrhundert erstreckte, begleitet von zahlreichen Rückschlägen, von Gegenrevolutionen und Kriegen in ganz Europa. Am Ende aber setzten sich Modernisierung und Mechanisierung gegen das *ancien régime* durch, fegte die wirtschaftliche Dynamik den Absolutismus hinweg. Eine Revolution wie die französische oder auch jene im Iran 1979 setzt eine starke gesellschaftliche Kraft voraus, die den Bruch vollzieht. Im Iran war es die Allianz aus Klerus und Basar, die gemeinsam eine wirkungsmächtige, soziale Gruppe bildeten, in Europa die aus der Industrialisierung hervorgegangenen Mittelschichten. Genau diese Kraft aber war in der arabischen Revolte viel zu schwach.

Von Clans und Stämmen

Die Tragik der arabischen Welt liegt in ihrer Zerrissenheit, ihrer Hybridität, der Gleichzeitigkeit von Rückständigkeit und Moderne. In keinem Land zwischen Marokko und Oman gibt es städtische Mittelschichten, die stark genug wären, um absolutistische in konstitutionelle Monarchien zu verwandeln oder Militärregime durch parlamentarische Demokratien abzulösen. Zwar gelang es den Ägyptern, Mubarak zu stürzen, doch eben nur ihn: Das Militärregime selbst blieb unangetastet und holte aus zum Gegenschlag. Es zeigt sich heute repressiver als je zuvor unter Mubarak. Nur im Irak gab es eine starke, bürgerliche Mittelschicht, die möglicherweise den Aufstand gegen Saddam Hussein hätte wagen können – wäre sie nicht von den Sanktionen pulverisiert worden.

Die arabische Revolte 2011 war eine spontane Volkserhebung, die wie ein Flächenbrand mehrere Länder ereilte, aber mit Ausnahme des Sonderfalls Tunesien keine Neuordnung durchzusetzen vermochte. Dafür gibt es viele Gründe, die zudem von Land zu Land variieren. Der Kern aber ist die erwähnte Schwäche der Mittelschichten, die in keinem Land mehr als 20 bis 40 Prozent der Bevölkerung stellen, meist ihrerseits vom sozialen Abstieg bedroht und nicht in der Lage sind, der Macht der Clans und Stämme, dem Einfluss von Religion und Ethnie, ein eigenes Narrativ und eine neue Identität entgegenzusetzen. In der arabischen Welt hat es eine industrielle Revolution nur in Ansätzen gegeben. Die wirtschaftliche Erfolgsgeschichte der Golfstaaten ändert daran nichts: Sie sind im Kern vergangenheitsorientierte Ordnungen, die dank ihres Reichtums eine Rentierwirtschaft begründen konnten, indem sie andere – Ausländer – für sich arbeiten lassen.

Die Aufständischen auf dem Tahrir-Platz und anderswo hatten jenseits ihrer Ablehnung der jeweiligen Machthaber und der von den meisten Menschen geteilten Perspektivlosigkeit wenig gemein. Der Student und der analphabetische Bauer leben in verschiedenen Welten. Mangels charismatischer Führer und demokratischer Erfahrungen, aber auch aufgrund persönlicher Rivalitäten und dem fehlenden Verständnis für die soziale Frage lief die Revolte ins Leere, blieb die organisierte Opposition schwach, mit Ausnahme der Muslimbrüder. Die Vertreter der alten Ordnung investierten entweder noch mehr Geld, um die Loyalität ihrer Untertanen zu kaufen, vor allem in den Golfstaaten, oder sie griffen zu den bewährten Mitteln der Repression, um ihre Macht zu bewahren respektive wiederherzustellen. Oder aber der Aufstand ebnete den Weg zu Krieg und Zerstörung, wie in Syrien. Die arabische Revolte ist deswegen nicht gescheitert. Aber es wird lange dauern, bis Hass und Gewalt einer neuen Ära weichen, die Freiheit, Wohlstand und Demokratie verheißt, vermutlich Jahrzehnte oder gar mehrere Generationen, sollte es denn überhaupt dazu kommen. Weite Teile der arabischen Welt erinnern gegenwärtig an das Europa des Dreißigjährigen Krieges. Die Araber wollten ein besseres Leben, bekommen haben sie Feldmarschall Sisi in Ägypten und den «Islamischen Staat». Darin liegt eine wahrhaft böse Ironie.

Clan, Stamm, Konfession, Ethnie: Das ist die Signatur des Feudalstaates im Orient. Er hat sie nicht erschaffen, aber er setzt sie für seine Zwecke ein. Die Identität des Einzelnen ist in der Regel Teil der jeweiligen Gruppenidentität. Ein Individualismus, wie er im Westen gelebt wird, unter den Bedingungen von Mobilität und Moderne, kann sich im Kontext einer blockierten gesellschaftlichen Entwicklung kaum entfalten, geschweige denn durchsetzen. Ebenso wenig ein reformatorisches Denken, das den Koran anders als möglichst buchstabengetreu liest. Clan, Stamm, Konfession, Ethnie: Das bedeutet auch, dass neue, sozial begründete Gruppenidentitäten Schwierigkeiten haben, sich gegenüber traditionellen durchzusetzen. In den Städten und Metropolen ist das zum Teil gelungen, doch enden solche Entwicklungen zumeist, sobald Krieg, Gewalt und das Auseinanderbrechen des Zentralstaates die Menschen zwingen, ihr Überleben zu organisieren. Spätestens dann greifen sie zurück auf ihre seit Jahrhunderten bewährten Solidargemeinschaften, die sich blutig Geltung verschaffen. Wehe dem Kurden, Christen oder Schiiten, aber auch dem liberal gesinnten Sunniten, der in Syrien oder im Irak in eine Straßensperre des rein sunnitischen «Islamischen Staates» gerät!

Konfessionalismus und Stammesdenken gehen häufig einher mit Intoleranz und Gewaltbereitschaft gegenüber Angehörigen anderer und rivalisierender Gruppen. Macht wird nicht verstanden als ein Mechanismus zum Ausgleich unterschiedlicher Interessen, sondern als totalitäres Mittel zum Zweck, anderen den eigenen Willen aufzuzwingen oder aber sie zu vernichten. Das gilt für säkulare Despoten vom Schlage eines Saddam Hussein oder Baschar al-Assad ebenso wie für radikale Islamisten. Sie suchen nicht den Kompromiss, sondern den Endsieg. Das tun die jeweiligen Gegner allerdings auch – deren Mentalitäten unterscheiden sich nicht notwendigerweise von jenen der Machthaber. Auf diesen Zusammenhang hinzuweisen ist gerade im Kontext Syriens wichtig. Die im Westen vorherrschende Wahrnehmung besagt: Baschar al-Assad und sein Regime trügen die alleinige Verantwortung für Hunderttausende Tote, Millionen Flüchtlinge und die Zerstörung Syriens. Deswegen gelte es, Damaskus politisch zu isolieren, Assad zu stürzen, gegebenenfalls militärisch, und der «gemäßigten» Opposition an die Macht zu verhelfen.

Diese zumeist moralisch grundierte Forderung unterliegt zwei grundlegenden Fehleinschätzungen – ganz unabhängig davon, dass sie lediglich eine humanitär begründete Variante imperialer Machtpolitik darstellt. Worauf beruht die Annahme, nach dem Sturz Assads würden sich in Syrien Demokratie, Freiheit und Rechtsstaatlichkeit einstellen? Sehr wahrscheinlich ist das nicht, in Ermangelung eines tragfähigen Bürgertums. Stattdessen würden die Sunniten die Macht übernehmen, weil sie 60 Prozent der Bevölkerung stellen. Weswegen sollten sie anders agieren als die Schiiten im Irak unter Maliki, nämlich Rache zu nehmen an jenen Teilen der Bevölkerung, die Assad unterstützen oder von seinem Regime profitieren? Im Ergebnis würde die eine konfessionelle Diktatur durch eine andere ersetzt, begleitet von erneuten Massakern und Gräueltaten, unter umgekehrten Vorzeichen.

Und welche Sunniten wären in der Lage, die Macht in Damaskus zu ergreifen? Den militärischen Kräfteverhältnissen nach zu urteilen kämen dafür nur radikale Islamisten infrage, darunter die Nusra-Front oder der «Islamische Staat». Die «liberalen» Interventionisten, die hiesige Menschenrechtsfraktion in Politik und Publizistik, bestreiten das. Sie verweisen gerne auf die «Zivilgesellschaft», die allerdings als Folge des Krieges in weiten Teilen des Landes kaum noch vorhanden ist, und halten an ihrem unerschütterlichen Glauben an die «gemäßigte», syrische Opposition fest. Eine «gemäßigte» Opposition aber, gemeint ist ein pro-westliches, idealerweise säkulares Pendant zur hiesigen Parteienlandschaft, gibt es primär in der Vorstellungswelt ihrer westlichen Verfechter. Und, zumindest als Lippenbekenntnis, unter den Exilsyrern, die allerdings in erster Linie mit Grabenkämpfen beschäftigt sind und in Syrien selbst über keinen messbaren Einfluss verfügen.

Der Aufstand beginnt

Im Januar und Februar 2011 kam es, inspiriert von den Revolten in Nordafrika, zu ersten spontanen Protesten in Syrien, zumeist organisiert von kleinen Gruppen junger, meist unerfahrener, städtischer Aktivisten, die etwa auf soziale Probleme und die grassierende Korruption aufmerksam machten. Im März/April eskalierte die Lage, als die Sicherheitskräfte in Deraa, der Grenzstadt zu Jordanien, jugendliche Protestierer einsperrten, die regimefeindliche Graffiti an die Wände gemalt hatten. Als die Eltern versuchten, ihre Kinder wieder freizubekommen, reagierte die Polizei mit brutaler Gewalt. Diese Bilder verbreiteten sich über das Internet und lösten in ganz Syrien Proteste aus, ohne jedoch die Ausmaße einer Massenbewegung wie in Tunesien oder Ägypten zu erreichen. In Damaskus und dem Wirtschaftszentrum Aleppo blieben die Assad-feindlichen Kundgebungen auf die Außenbezirke beschränkt. Zu einer ersten Hochburg der Proteste entwickelte sich neben der Region um Deraa das mittelsyrische Hama, die viertgrößte Stadt. Im Juni zogen sich die Sicherheitskräfte von dort zurück, kehrten aber einige Wochen später mit Panzern und Artillerie zurück. Im Sommer gingen die gewaltfreien Demonstrationen gegen das Regime im Zuge des immer rücksichtsloseren Vorgehens seitens der Armee, der Geheimdienste und der Polizei nach und nach in bewaffnete Kämpfe über. Trotz internationaler Vermittlungsversuche, unter anderem durch den vormaligen UN-Generalsekretär Kofi Annan, war der Weg in den Bürgerkrieg vorgezeichnet, als im Juli die Freie Syrische Armee entstand und der Konflikt eine konfessionelle Dimension annahm.

Die Alawiten, die allgemein dem schiitischen Islam zugerechnet werden und zehn bis 15 Prozent der syrischen Bevölkerung stellen, dominieren seit der französischen Mandatszeit das Militär und die Sicherheitskräfte. Das erlaubte Hafis al-Assad, sich 1970 an die Macht zu putschen. Der Grund für diese Vormachtstellung lag wesentlich in ihrer Armut begründet: Die Alawiten hatten in der Regel nicht das Geld, ihre Söhne vom Militärdienst freizukaufen. Hafis al-Assad, bis zu seinem Tod 2000 Präsident, seither regiert sein Sohn Baschar, erkannte, dass er die Macht seines Clans nicht allein auf Gewalt gründen konnte. Stattdessen ging er ein Bündnis mit der sunnitischen Mittelschicht ein, den Händlern und Gewerbetreibenden in Damaskus und Aleppo. Der Deal lautete: Ihr stellt nicht die Machtfrage, und wir stören euch nicht bei euren Geschäften. Gleichzeitig propagierte die auch in Syrien nominell regierende Baath-Partei, wie im Irak ein Sammelbecken von Günstlingen und Vertrauten, ein säkulares Staatsmodell, das den religiösen Minderheiten, allen voran den Christen und Drusen, Glaubensfreiheit garantierte, solange sie nicht die Vorherrschaft der Alawiten infrage stellten. Die Minderheiten konnten sich gut damit arrangieren, zumal ihnen die Alternative, eine Machtübernahme der Sunniten in Gestalt der Muslimbrüder, wenig attraktiv erschien. Das Herrschaftsgeflecht des Assad-Clans beruht mithin auf Klientelismus und Kontrolle, vor allem mit Hilfe der zahlreichen

Geheimdienste, auf wechselseitigen Abhängigkeiten, auf Loyalität und Begünstigung. Eine Diktatur also, der es allein um Machterhalt geht – nicht um Ideologie oder die Erschaffung eines «neuen Menschen».

In den 1970er Jahren entwickelte sich die syrische Muslimbruderschaft zu einer einflussreichen oppositionellen Bewegung, die im Untergrund den gewaltsamen Umsturz des Assad-Regimes herbeizuführen suchte. Dieser Aufstand ärmerer Sunniten wurde 1982 durch den Einsatz der Armee beendet: Sie kesselte die Hochburg der Muslimbrüder, Hama, ein und machte weite Teile der Stadt durch Luftangriffe und Artilleriebeschuss dem Erdboden gleich. Bis zu 30 000 Menschen sollen dabei ums Leben gekommen sein. Die Botschaft war unmissverständlich: Wer sich gegen die Vorherrschaft der Alawiten erhebt, wird vernichtet. Die Muslimbrüder spielen seither keine Rolle mehr in Syrien, sind aber stark in der Exilopposition vertreten.

Das Regime spielte von Anfang an die konfessionelle Karte. Bereits am 27. März 2011 behauptete die Regierungssprecherin, es sei eine «konfessionelle Verschwörung» gegen Syrien im Gange. Ähnlich äußerte sich auch Assad selbst. Schnell begann sich die Gewaltspirale zu drehen, brachten Sunniten Alawiten um, und umgekehrt. Die oppositionellen Aktivisten, zahlenmäßig schwach, schlecht organisiert und vernetzt, hatten dieser Entwicklung kaum etwas entgegenzusetzen – auch gemäßigte, alawitische und sunnitische Würdenträger konnten die allgemeine Verrohung und die zunehmend interreligiöse Gewalt nicht verhindern. Der Einsatz regimetreuer, alawitisch dominierter Milizen, die seit Mitte 2011 kollektive Vergeltungsmaßnahmen gegen sunnitische Dörfer und Stadtteile durchführen, sie belagern, aushungern, großflächig zerstören, sowie, seit 2012, die Allianz mit schiitischen Kämpfern aus dem Libanon und dem Irak, erweckte bei vielen Sunniten den Eindruck, dass die Repression in erster Linie gegen sie gerichtet sei. Zu keinem Zeitpunkt hat das Assad-Regime auf Deeskalation gesetzt – es folgte seiner eigenen Stammeslogik: Kompromiss und Entgegenkommen gelten als Schwäche, Ziel ist die Vernichtung, die Auslöschung des Gegners. Die sunnitischen Milizen, vor allem unterstützt von den USA und Saudi-Arabien, folgten allerdings derselben Logik, so dass die Tragödie ungebremst ihren Lauf nehmen konnte.

Nicht alle Syrer schließen sich der Revolte an

Dennoch unterscheidet sich der Aufstand in Syrien wesentlich von der arabischen Revolte andernorts. Der entscheidende Unterschied – und der ist westlichen Politikern und Meinungsmachern bis heute weitgehend entgangen – liegt darin, dass sich, abgesehen von kleinen Gruppen, weder die religiösen Minderheiten noch die sunnitische Geschäftswelt diesem Aufstand gegen das Assad-Regime angeschlossen haben. Zu keinem Zeitpunkt. Deren Zahl entspricht immerhin nicht weniger als der Hälfte der Bevölkerung und erklärt, warum es weder der Freien Syrischen Armee noch radikaleren sunnitischen Milizen gelungen ist, Damaskus oder Aleppo zu erobern – sie haben dort vergleichsweise wenig Rückhalt. Aleppo war eine geteilte Stadt: Der Westteil wurde und wird vom Assad-Regime kontrolliert, der Ostteil bis zu seiner Rückeroberung im Dezember 2016 von den Aufständischen. Deren soziale Basis liegt vor allem in den ländlichen Gebieten entlang der jordanischen Grenze, mit Ausnahme des mehrheitlich drusischen Hauran, sowie entlang der türkischen und irakischen Grenze. Verarmte Sunniten bilden das Rückgrat der Rebellion, darunter viele Bauern und Landflüchtlinge, die als Folge von Dürre und Verelendung im Bandenwesen der Milizen eine Alternative sehen. Zum einen erhalten sie dort meist einen Sold, zum anderen können sie nunmehr rauben und plündern und auf diese Weise ihren Lebensunterhalt sichern. Städtische, liberal gesinnte Aktivisten sind entweder tot, inhaftiert oder längst geflüchtet.

Die Freie Syrische Armee (FSA), die in westlichen Hauptstädten unter dem Etikett «gemäßigt» gehandelt wird, ist ungeachtet ihres Namens weniger eine Armee als vielmehr ein loser Zusammenschluss lokaler und regionaler Milizen ohne gemeinsames Oberkommando. Deren Kommandeure führen Krieg nach eigenem Gusto, ohne sich nennenswert untereinander abzusprechen oder Befehlsstrukturen anzuerkennen. Die Kriegsführung der FSA, die im Wesentlichen aus desertierten, sunnitischen Soldaten besteht, ist dementsprechend erratisch und vielfach verantwortungslos. Kein kluger Stratege wird auf die Idee kommen, den Feind da anzugreifen, wo er am stärksten ist. Die FSA hat genau das getan, versuchte sich an der Eroberung von Damaskus und Aleppo. Das Ergebnis ist die großflächige Zerstörung vor allem der Außenbezirke, denn Assads Armee reagiert stets nach demselben Muster, mit Bombardements und Belagerungen von Rebellengebieten. Dennoch sah die FSA keinen Anlass, ihre Taktik zu ändern. Rücksicht auf Zivilisten nehmen deren Kämpfer ebenso wenig wie die des Regimes, Gräueltaten und Wegelagerei sind beiden Seiten vertraut. Auch hat die FSA es nicht geschafft, in den von ihr kontrollierten Gebieten eine funktionierende Zivilverwaltung aufzubauen. Seit dem Erstarken islamistischer Gruppen gerät sie mehr und mehr in die Defensive, sind viele ihrer Kämpfer übergelaufen zum «Islamischen Staat». Auch deswegen, weil die Islamisten aus den Golfstaaten finanziell unterstützt werden und somit, im Gegensatz zur FSA, Geld verteilen können.

Im Rückblick besehen sollten diejenigen erfahrenen

oppositionellen Aktivisten recht behalten, die bereits Anfang 2011 öffentlich die Frage stellten, ob der Aufstand in Syrien nicht zu früh komme. Anders als in Tunesien und Ägypten gab es in Syrien keine lange Vorgeschichte von Demonstrationen und Streiks. Zudem haben gerade die städtischen Aktivisten den konfessionellen Faktor und die Entschlossenheit des Assad-Regimes, die eigene Macht um jeden Preis zu verteidigen, vollkommen unterschätzt – möglicherweise aus Euphorie über die Entwicklung in Nordafrika. Statt zum erhofften Regimewechsel kam es zum Bürgerkrieg, der in kürzester Zeit so viel Hass und Rachegefühle freisetzte, dass langjährige Nachbarn anfingen, sich gegenseitig zu erschlagen. Angesichts von Chaos, endemischer Gewalt und Staatszerfall war es nur eine Frage der Zeit, bis radikale islamistische Milizen auf den Plan treten würden.

Als wäre das allein nicht Unglück genug, wurde aus dem syrischen Bürgerkrieg spätestens 2012 ein Stellvertreterkrieg, in dem sich, vereinfacht gesagt, zwei Lager gegenüberstehen. Auf der einen Seite die westlichen Staaten, die Türkei und die Golfstaaten, allen voran Saudi-Arabien, die Assad gestürzt sehen wollen. Auf der anderen Seite Russland, China und der Iran, die genau das zu verhindern suchen und Assad nach Kräften unterstützen.

Aus dem Bürgerkrieg wird ein Stellvertreterkrieg

Der Grund ist Geopolitik. Das syrische Regime war immer ein enger Verbündeter der Sowjetunion. Aufgrund seiner staatssozialistischen Wirtschaft, vor allem aber wegen der israelischen Besatzung der syrischen Golanhöhen seit dem Sechstagekrieg von 1967. Da weder die USA noch die Europäer bereit waren, Israel auf eine Rückgabe zu verpflichten, orientierte sich Damaskus Richtung Moskau, auch nach dem Ende der Sowjetunion. Mit der Islamischen Revolution im Iran bot sich nach 1979 ein neuer strategischer Partner an – Syrien wurde zum engsten Verbündeten Teherans in der arabischen Welt. Dass die Alawiten als schiitische Sekte gelten, spielte dabei, wenn überhaupt, nur eine untergeordnete Rolle. Als sich in den 1980er Jahren die schiitische Hisbollah, Partei Gottes, formierte, im Widerstand gegen die israelische Besatzung Südlibanons (1982–2000), verlief der Waffennachschub für die Hisbollah bald schon über Damaskus. Die Allianz zwischen Teheran, Damaskus und der Hisbollah ist der entscheidende Grund, warum Amerikaner und Europäer das Assad-Regime schon seit Längerem zu schwächen suchten, in enger Absprache mit Israel. Die Ermordung des libanesischen Premiers Hariri 2005 in Beirut, die vermutlich auf das Konto syrischer Geheimdienste geht, diente ihnen als Anlass, mit Hilfe einer entsprechenden UN-Resolution den Abzug aller syrischen Truppen aus dem Libanon zu erwirken, die dort seit 1975, seit Beginn des libanesischen Bürgerkrieges (1975–1990), stationiert gewesen waren.

Im Februar 2012 entstand auf Initiative des französischen Präsidenten Sarkozy die «Gruppe der Freunde des syrischen Volkes», in der sich die Gegner Assads, der Westen, die Türkei und die Golfstaaten, zusammenschlossen. Unter Federführung Washingtons setzen sie alles daran, Assad zu stürzen. Damaskus wurde, wie in solchen Fällen üblich, mit Sanktionen überzogen, Assad zur Unperson schlechthin stilisiert («Schlächter», «Hitler»), eine Opposition aufgebaut, zunächst Nationalrat geheißen, dann Nationale Koalition, die mit Sitz in Istanbul die Machtübernahme in Syrien vorbereiten sollte. Offiziell im Namen von Demokratie und Menschenrechten, aus Gründen der Humanität, um das Leid der Syrer zu beenden. In Wirklichkeit war das

Kalkül ein anderes: Stürzt das Assad-Regime, kommt eine sunnitische Regierung an die Macht, welche die privilegierten Beziehungen zu Teheran beenden und sich dem Westen zuwenden würde. Die Hisbollah wäre in dem Fall von ihrem Waffennachschub abgeschnitten und stünde mit dem Rücken zur Wand.

Moskau und Peking halten an Assad fest, weil sie nicht wollen, dass Syrien an den Westen fällt. Umso weniger nach den Erfahrungen in Libyen. Während der dortigen Revolte hatten beide 2011 einer UN-Resolution zum Schutz von Zivilisten zugestimmt, die Vergeltungsangriffe des Gaddafi-Regimes im Osten Libyens, auf die Stadt Bengasi, verhindern sollte. Amerikaner und Europäer missbrauchten dieses Entgegenkommen zum Sturz Gaddafis, und diese Lektion hat sich Russen und Chinesen eingebrannt. Deswegen kündigen sie grundsätzlich ihr Veto an, wenn die USA, im Alleingang oder mit ihren Verbündeten, UN-Resolutionen einzubringen versuchen, die das Assad-Regime schwächen oder eine Militärintervention vorbereiten könnten, etwa durch die Einrichtung von Flugverbotszonen oder Schutzgebieten für Flüchtlinge.

Da amerikanische und, in ihrem Fahrwasser, europäische Politik grundsätzlich nicht auf Interessenausgleich mit anderen Groß- oder Regionalmächten ausgerichtet ist, sondern unter Berufung auf eine vermeintlich höhere Moral Widersacher auszugrenzen und dem eigenen Willen zu unterwerfen sucht, kam es in Syrien zum politischen Stillstand. Weder Moskau noch Teheran, auch nicht das still und leise im Hintergrund agierende Peking, halten unverrückbar an Assad fest. Sie werden ihn aber erst fallen lassen, wenn der Preis stimmt, wenn sie ihre Interessen gewahrt sehen, wenn vor allem die USA begreifen, dass die unipolare Welt aus der Zeit nach dem Mauerfall mittlerweile eine multipolare geworden ist.

Die «Freunde des syrischen Volks» bleiben dabei: Assad muss weg

Im Juli 2012 kam es zu einem Anschlag auf den inneren Machtzirkel in Damaskus, bei dem unter anderem ein Schwager Assads getötet wurde. Damals wäre es wahrscheinlich möglich gewesen, Assad zu stürzen – wenn die USA das Gespräch und den Kompromiss mit Moskau und Teheran gesucht hätten. Abgesehen von dieser Episode war die Herrschaft Assads zu keinem Zeitpunkt ernsthaft gefährdet. Einem Großteil der Bevölkerung ist die Pest seiner Herrschaft immer noch lieber als die Cholera einer ungewissen Zukunft, die radikale Islamisten an die Macht spülen dürfte. Die Alawiten wissen genau: Stürzt Assad, drohen ihnen Massaker. Auch viele Alawiten lehnen Assad ab, halten ihm aber aus genau diesem Grund die Treue. Weder die Minderheiten noch die sunnitischen Geschäftsleute haben sich, wie erwähnt, den Gegnern Assads angeschlossen, auch die Christen nicht. Im Gegenteil, mittlerweile kämpfen sie teilweise auf Assads Seite, mit eigenen Milizen. Die «Freunde des syrischen Volkes» haben übersehen oder bewusst ignoriert, dass Syrien nicht Libyen ist, dass vor allem der konfessionelle Faktor ganz andere Fronten schafft als in Nordafrika. Die russische Führung dagegen war hier ebenso wie die iranische sehr viel weitsichtiger und hat, anders als die Assad-Gegner, auf den «Gewinner» gesetzt.

Anstatt aus ihren Fehleinschätzungen zu lernen, was freilich mit Gesichtsverlust verbunden wäre, hielten Letztere fest an ihrem Mantra: Assad muss weg. Die beiden großen Syrien-Konferenzen der UN, im Juni 2012 und im Januar 2014 in Genf, sind gescheitert, weil die «Freunde des syrischen Volkes» auf einer Übergangsregierung bestanden, der Assad und idealerweise das gesamte Regime nicht mehr angehören sollten. Warum hätte er sich, warum hätten sich Russland und der Iran darauf einlassen sollen?

Zur ersten Syrien-Konferenz war Teheran gar nicht erst eingeladen worden. Bei der zweiten suchte UN-Generalsekretär Ban Ki-moon, diesen Fehler zu korrigieren und lud die iranische Führung ein – um sie kurz vor Konferenzbeginn in einem beispiellosen Akt der Demütigung auf amerikanischen Druck hin wieder ausladen zu müssen. Die Politik der USA zwischen beiden Konferenzen war wesentlich darauf fokussiert, immer wieder Moskau und Peking zu geißeln. Vor allem Außenministerin Hillary Clinton tat sich hervor mit verbalen Angriffen: Russland und China würden ihre Unterstützung Assads «teuer bezahlen», beider Verhalten sei «verabscheuungswürdig», sie betrieben «Obstruktion» und «missbrauchten» die Vereinten Nationen, und so weiter. Im Übrigen wurden weitere Sanktionen gegen Damaskus verhängt, drohten die USA wiederholt mit militärischem Eingreifen, sagten aber die allseits erwartete Intervention nach dem Einsatz von Chemiewaffen im August 2013, mutmaßlich durch das Regime, überraschend ab. Offenbar war Präsident Obama aufgegangen, dass donnernde Rhetorik das eine, ein Kriegseintritt mit unklaren Fronten, der Gefahr einer internationalen Eskalation und dubiosen Bündnispartnern vor Ort etwas ganz anderes ist. Mit dieser Entscheidung war übrigens auch der Weg der in der «Nationalen Koalition» zusammengeschlossenen Exilopposition in Richtung Fußnote der Geschichte endgültig vorgezeichnet. Der ursprüngliche Plan, ihr nach dem Sturz Assads die Macht zu übergeben und einen pro-westlichen Kurs Syriens festzuschreiben, hatte sich damit erledigt.

Vor diesem Hintergrund wird ersichtlich, dass die offizielle westliche Lesart, der zufolge Assad die alleinige Verantwortung für die Zerstörung Syriens trage, zwar bequem ist, aber deutlich zu kurz greift. Die geopolitisch motivierte und auf völlig falschen Prämissen beruhende Haltung der «Freunde des syrischen Volkes» trägt mindestens ein hohes Maß an Mitverantwortung. Fehlende Diplomatie und Kompromissbereitschaft im Umgang mit Russland und dem Iran haben ebenso wie das Festhalten an der vermeintlichen Alternative einer «gemäßigten» Opposition den Weg geebnet für den weiteren Staatszerfall und den Vormarsch des «Islamischen Staates» auch in Syrien. Gleichzeitig wurde Syrien neben dem Irak zum Schlachtfeld eines Stellvertreterkrieges zwischen Saudi-Arabien und dem Iran, eines zunehmend gefährlicheren Showdowns zwischen Sunniten und Schiiten, dessen Folgen noch gar nicht abzusehen sind.

Der Diktator ändert seine Strategie

Das Regime Baschar al-Assads ist skrupellos, hat sich aber den veränderten Gegebenheiten mit bemerkenswertem Pragmatismus angepasst. Schnell hat es begriffen, dass es nicht alle Landesteile von den sunnitischen Aufständischen würde zurückerobern können. Also haben sich Assads Leute darauf konzentriert, die alawitischen Kerngebiete und die wirtschaftlichen Lebensadern unter ihre Kontrolle zu bringen, entlang der Linie Hauran an der jordanischen Grenze über Damaskus bis nach Aleppo sowie die Mittelmeerküste. Die drittgrößte Stadt des Landes, Homs, wurde zum blutigsten Schlachtfeld des Krieges, weil sich dort die Nord-Süd- und Ost-West-Straßenverbindungen kreuzen. Heute erinnert Homs an Dresden nach dem Zweiten Weltkrieg. Dennoch, die militärische Strategie ging auf, Assads Armee gelang die weitgehende Rückeroberung und Konsolidierung dieser Gebiete, mit massiver Unterstützung durch die Hisbollah, die im Guerilla- und Straßenkampf besonders erprobt ist. Mittlerweile agiert die syrische Armee selbst wie eine Miliz und ist dadurch wendiger und flexibler als reguläre Kampfeinheiten.

Parallel gab das Regime die Kontrolle über die weiten Wüsten- und Steppengebiete entlang der türkischen und irakischen Grenze auf, bekämpfte vor allem die Freie Syrische Armee, ließ aber die islamistischen Milizen, namentlich den «Islamischen Staat», ungehindert gewähren. Das Kalkül sollte aufgehen: Der IS konnte sich diesseits wie jenseits der syrisch-irakischen Grenze ausbreiten und wurde zu einer Gefahr für den Westen und die Region. Gleichzeitig überließ Assad die Kurdengebiete im Norden sich selbst, sehr zum Unbill Ankaras, da die syrischen Kurden eng mit der in der Türkei verbotenen Kurdischen Arbeiterpartei PKK kooperieren. Eine ebenso durchtriebene wie folgenschwere Antwort Assads an die Adresse der «Freunde des syrischen Volkes».

Mittlerweile ist der Krieg in Syrien dermaßen metastasiert, dass man besser nicht von einem, sondern von mehreren bewaffneten Auseinandersetzungen und Frontlinien gleichzeitig spricht. Das britische Militär-Fachjournal «Jane's Defense Weekly» bezifferte die Zahl der Gruppen, Grüppchen, Banden, Milizen Ende 2013 auf mehr als 1000. Die Grenzen zwischen politisch motivierter Gewalt und gewöhnlicher Kriminalität, etwa Entführungen oder Raubüberfälle, verlaufen dabei fließend. Abgesehen von den beiden größten Milizen, der Nusra-Front, die Al-Qaida nahesteht, und dem «Islamischen Staat» sind die meisten Kämpfer nicht ideologisch motiviert, sondern versuchen ihr eigenes Überleben zu organisieren. Oder sie verteidigen ihr Dorf, ihren Clan, ihre Gruppe. Feste Überzeugungen haben sie meist nicht, wer am besten zahlt oder am stärksten ist, dem schließen sie sich an. Allein deswegen ist die Vorstellung, man könne, wie es die Amerikaner betreiben, Tausende «gemäßigte» Oppositionelle militärisch ausbilden und sie gleichermaßen in den Kampf gegen den IS wie auch gegen Assad schicken, gelinde gesagt verwegen.

Dennoch geschieht es längst, in großem Maßstab. Bereits am 24. März 2013 berichtete die «New York Times»: «Mit Hilfe der CIA haben arabische Regierungen und die Türkei ihre militärische Unterstützung für oppositionelle Kämpfer in Syrien erheblich ausgeweitet. Das betrifft insbesondere die geheime Versorgung durch eine Luftbrücke, die den Nachschub an Waffen und Kriegsgerät für den Aufstand gegen Präsident Baschar al-Assad sicherstellt (...) Die Luftbrücke begann Anfang 2012 in kleinem Maßstab und wurde unregelmäßig bis in den Herbst 2012 hinein betrieben. Seither wurde sie erheblich ausgeweitet, wie die entsprechenden Daten der Flugkontrolle belegen. Mehr als 160 Frachtflugzeuge des Militärs jordanischer, saudischer und katarischer Kennung sind mittlerweile auf dem Esenboğa Flughafen bei Ankara und, in geringerem Umfang, auf anderen türkischen und jordanischen Flughäfen gelandet.»

Die Zivilisten zahlen den Preis

Diese und weitere Operationen folgen der amerikanischen Vorlage im Kampf gegen die sowjetische Besatzung Afghanistans. Damals wurden die Mudschahedin mit Waffen und Knowhow versorgt, aus denen wenig später die Taliban und Al-Qaida hervorgingen. Heute werden «gemäßigte» Oppositionelle unterstützt. Mehrheitlich handelt es sich dabei um gewalterprobte Islamisten, die heute gegen Assad kämpfen und sich morgen auf die Seite des «Islamischen Staates» schlagen können. Geschwächt wird der IS dadurch nicht, vielmehr ist er der große Nutznießer dieses von den Amerikanern angerichteten Chaos. Ganz unabhängig davon, dass bei vielen Muslimen, auch gemäßigten, zunehmend der

Eindruck entsteht, der Westen führe einen endlosen Krieg gegen den Islam – was wiederum Wasser auf die Mühlen der Dschihadisten ist.

Den Preis für den syrischen Stellvertreterkrieg, der den ursprünglichen Bürgerkrieg längst überlagert und zusätzlich befeuert, zahlen die Zivilisten. Von den rund 23 Millionen Einwohnern des Landes befindet sich etwa die Hälfte auf der Flucht, die meisten als Binnenflüchtlinge. Die Türkei hat drei bis vier Millionen Flüchtlinge aufgenommen, der Libanon mehr als 1,5 Millionen, Jordanien rund eine Million. Diese hohen Zahlen befördern vor allem im Libanon die politische Destabilisierung und schaffen erhebliche soziale Spannungen. Jahrhundertealte Kulturstätten sind zerstört worden, Syrien liegt am Boden, eine ganze Generation wächst heran ohne Schulbildung und Perspektiven. Die syrische Tragödie hat das Potential zum Weltenbrand, weil sich hier globale machtpolitische Interessen kreuzen. Gefährlich eskalieren dürfte die Lage, sollten die «Freunde des syrischen Volkes» auf die Idee kommen, selbst militärisch einzugreifen und dabei nicht allein den «Islamischen Staat» zu bekämpfen, sondern, gewissermaßen im selben Aufwasch, auch das Assad-Regime ins Visier zu nehmen. Darauf würden Russland, China und der Iran mit Sicherheit reagieren, indem etwa die russische Führung Damaskus die bislang zurückgehaltenen, modernsten Boden-Luft-Raketen liefert.

Es war ein großer Fehler, Assad um jeden Preis stürzen zu wollen, erst recht mangels Alternative. Spätestens nach den Erfahrungen im Irak, in Afghanistan und in Libyen sollte klar geworden sein, dass sich ein demokratisches Modell von außen nicht erzwingen lässt. Nüchtern besehen kam der syrische Aufstand mindestens zehn Jahre zu früh. Die Rahmenbedingungen für einen Machtwechsel waren nicht gegeben. Auf diesen Zusammenhang hinzuweisen heißt keineswegs, Assad und sein Regime zu exkulpieren, von Schuld und Verantwortung freizusprechen, deren Verbrechen zu relativieren. Es gibt aber historische Konstellationen, in denen der aus der Sunna, der Lebenspraxis des Propheten Mohammed, abgeleitete Sinnspruch, der wesentlich das Staatsverständnis islamischer Rechtsschulen prägte, seine Berechtigung hat: besser ein Jahr Finsternis als eine Nacht ohne Sultan.

Anstatt auf das Hirngespinst einer «gemäßigten» Opposition zu setzen, hätte es den Syrern viel Leid erspart, wären die «Freunde des syrischen Volkes» auf Moskau, Teheran und Peking zugegangen. Die genannten Hauptstädte haben ihrerseits nichts unternommen, um ihren Verbündeten Assad auf eine innenpolitische Öffnung zu verpflichten und dessen Kriegsführung der großflächigen Zerstörung zu unterbinden, was sie ohne weiteres hätten tun können. Die Gleichgültigkeit gegenüber dem Leid von Millionen Menschen ist den Assad-Freunden nicht weniger gegeben als jenen, die sich gerne und mit Nachdruck auf «westliche Werte» berufen.

Assad ist pragmatisch, soweit es das Überleben seines Regimes betrifft. Politische Deals mit ihm sind – sobald seine Unterstützer den entsprechenden Druck auf ihn ausüben, was sie ohne Gegenleistung nicht tun werden – möglich und die bessere Alternative, vor allem für die Syrer selbst. Da sich die Westmächte einst auch mit Stalin an einen Tisch gesetzt haben, sollte das mit einem Machthaber vom Schlage Assads ebenfalls gelingen. Die Alternative, eine verdeckte, amerikanische Militärintervention in Syrien, eine mehr in der islamischen Welt, erweist sich als ebenso unheilvoll wie kurzsichtig. Dem von «liberalen» Interventionisten gerne vorgebrachten Wehklagen, wäre Assad rechtzeitig gestürzt worden, hätte es auch den Siegeszug des «Islamischen Staates» nicht gegeben, sei entgegnet: Das Gegenteil ist richtig. Die Absicht, Assad um jeden Preis zu stürzen, hat den IS in Syrien erst stark gemacht. Und wäre der Diktator tatsächlich gestürzt worden, wären heute in Damaskus die Gotteskrieger an der Macht.

Im September 2015 nahm der Krieg in und um Syrien eine neue Wendung, als Moskau auf Seiten des Assad-Regimes mit eigenen Soldaten einzugreifen begann. Unter anderem durch die Einrichtung einer Luftwaffenbasis unweit der Hafenstadt Latakia, von der aus russische Kampfflugzeuge Angriffe auf den «Islamischen Staat» wie auch auf die Stellungen anderer, Assad-feindlicher Milizen fliegen. Hinzu kommt die Erweiterung der Marinebasis in Tartus, des einzigen russischen Marinestützpunktes außerhalb Russlands, und der massive Einsatz von Militärberatern. Die russische Führung hat damit Fakten geschaffen, die alle Hoffnungen auf einen Regimewechsel seitens der Assad-Gegner haben platzen lassen. Umso mehr, als General Lloyd Austin im Streitkräfte-Ausschuss des US-Senates einräumen musste, ebenfalls im September 2015, dass von den Rebellen, die mit Hilfe Washingtons ausgebildet worden waren, gerade einmal «vier bis fünf» im Einsatz wären. Alle anderen seien zu den Islamisten übergelaufen, desertiert, gefangen oder tot.

Im Verlauf des Jahres 2016 gelang Assads Armee, unterstützt von der russischen Luftwaffe und schiitischen Milizen aus dem Libanon, Irak und Iran, nach und nach die Rückeroberung der meisten strategisch wichtigen Landesteile. Die befinden sich überwiegend diesseits der Nord-Süd-Verkehrsachse von der türkischen bis an die jordanische Grenze, einschließlich der Mittelmeerküste. Die Schlacht um Aleppo, die zweitgrößte Stadt Syriens und Wirtschaftsmetropole, markiert dabei einen Höhepunkt: Im Dezember 2016 gelang es den Regimekräften, den von Aufständischen kontrollierten Ostteil der Stadt nach monatelangen Kämpfen vollständig zurückzuerobern. Damit ist der Krieg zwar beileibe nicht beendet, doch für Washington war dieser symbolisch wichtige Sieg gleichbedeutend mit einer Niederlage. Das Projekt *regime change* hatte sich damit erkennbar erledigt. Zu allem Überfluss hatte die laut Präsident Obama «Regionalmacht Russland» Washington geopolitisch in die Schranken gewiesen. Doch die Gewalt in Syrien wird weitergehen – zu viele Akteure von außen wollen ihre geopolitischen Interessen dort um nahezu jeden Preis durchsetzen. Ganz unabhängig vom Kampf gegen den «Islamischen Staat», den ein für allemal zu besiegen letztendlich niemand ein wirkliches Interesse hat. Er liefert den kleinsten gemeinsamen Nenner aller Interventionsmächte – ist er doch der Hauptfeind, nach außen hin. Das Alibi, um vor Ort Präsenz zu zeigen. Selbst Dänemark ließ es sich nicht nehmen, Raqqa zu bombardieren, die Hauptstadt des IS im Osten Syriens.

Im Herzen der Finsternis: Was den «Islamischen Staat» so erfolgreich macht

Seit 9/11 und dem von Präsident Bush ausgerufenen «Krieg gegen den Terror», den sein Nachfolger Obama unter anderem Namen, aber nicht weniger tödlich vornehmlich mit Drohnen weiterführt, haben die USA in sieben Staaten der islamischen Welt militärisch eingegriffen: Afghanistan, Irak, Somalia, Jemen, Pakistan, Libyen, Syrien. Diese Interventionen waren von unterschiedlicher Intensität und Tragweite, haben jedoch insgesamt zweierlei bewirkt: Sie haben den Zerfall ganzer Staaten vorangetrieben oder ausgelöst und sie haben zum Erstarken radikaler, islamistischer Bewegungen maßgeblich beigetragen, von den Taliban und Al-Qaida bis hin zum «Islamischen Staat». Mit anderen Worten: Der Westen schafft sich seine terroristische Bedrohung zu einem erheblichen Teil selbst.

Dessen ungeachtet unterscheidet Washington zwischen «guten» und «bösen» Dschihadisten. «Gute» Dschihadisten sind solche, die entweder Al-Qaida bekämpfen oder unliebsame Regime. Wie das in der Praxis abläuft, illustriert das folgende Beispiel. Im Sommer 2014 griffen die Amerikaner laut Al-Jazeera einen saudischen Vorschlag auf, im Süden Syriens eine neue Front gegen das Assad-Regime zu eröffnen. Eine der Freien Syrischen Armee nahestehende Einheit, die Yarmouk-Brigade, erhielt über Jordanien Waffen und eine Spezialausbildung. Diese Brigade galt als «gemäßigt» und sollte gleichermaßen Regimetruppen und solche Islamisten im Norden und Osten Syriens bekämpfen, die mit Al-Qaida sympathisieren. Für die Amerikaner ärgerlich: Videoaufnahmen belegen, dass die Yarmouk-Guerilleros gemeinsam mit der Nusra-Front, dem Al-Qaida-Ableger in Syrien, gegen Assad kämpften. Mehr noch, die Yarmouk-Leute überließen ihr die hochmodernen Waffensysteme, die sie gerade erst in Jordanien in Empfang genommen hatten – vermutlich gegen gute Bezahlung. Wiederholt haben irakische Regierungsvertreter beklagt, dass IS-Kämpfer im Irak Waffen einsetzen würden, die «gute» syrische Islamisten zuvor aus US-Beständen erhalten hätten.

Im Irak unterstützt Washington die dortige schiitische Regierung gegen sunnitische Dschihadisten und hilft, sie zu bekämpfen. In Syrien werden Dschihadisten derselben Couleur ermutigt, gegen die Regierung in Damaskus Krieg zu führen. Diese Schizophrenie hat den «Islamischen Staat» nicht geschwächt, sondern gestärkt. Entstanden ist die Bewegung im Irak. Zum regionalen Machtfaktor wuchs sie in Syrien heran, wo sie von außen ungestört agieren und sich zur größten Rebellengruppe entwickeln konnte. Schließlich trat der IS von Syrien aus seine Großoffensive im Irak an. Anfang Juni 2014 rissen dessen Kämpfer die Grenzanlagen nieder und erklärten «das Ende der Sykes-Picot-Grenzen», des von den Kolonialmächten Großbritannien und Frankreich nach dem Ersten Weltkrieg mit dem Lineal gezogenen Grenzverlaufs zwischen Syrien und dem Irak. Innerhalb von wenigen Wochen nahmen sie fast den gesamten westlichen Irak ein, eroberten die zweitgrößte irakische Stadt Mossul und stießen beinahe bis an die Stadtgrenzen Bagdads vor.

«Gute» Islamisten, das sei in diesem Zusammenhang erwähnt, waren auch die Aufständischen in Libyen. Alle Hinweise, dass Teile von ihnen mit Al-Qaida sympathisieren, wurden in Washington heruntergespielt. Erst, nachdem der US-Botschafter Chris Stevens im September 2012 von Dschihadisten getötet worden war, erscholl der Ruf: «Al-Qaida!», mit den üblichen Konsequenzen – Militäreinsätzen zur Vergeltung, aufgeregten Warnungen vor «dem Terror». Gleichzeitig verwendet Washington das Label Al-Qaida auch dort, wo es gar nicht hingehört. So auch bei der Bekämpfung der sunnitischen Aufständischen im Irak in den Jahren der Besatzung, obwohl sie nur zum kleinen Teil Al-Qaida angehörten. Durch diese emotional wirksame Gleichsetzung: Widerstand gleich Al-Qaida, wurde die Besatzung als Terrorbekämpfung legitimiert und gleichzeitig der westlichen Öffentlichkeit ein Sündenbock für das Desaster im Irak präsentiert.

Kriege rechnen sich

Der Reflex auf neue Bedrohungen und Herausforderungen, die aus amerikanisch geführten Interventionen in der Region erwachsen, ist meist derselbe, so auch im Umgang mit dem «Islamischen Staat»: noch mehr Waffen, noch mehr Militäreinsätze. Die Erfahrungen der gerade erst offiziell beendeten Missionen in Afghanistan und im Irak geraten dabei schnell in Vergessenheit, in Washington ebenso wie in europäischen Hauptstädten. Nicht der Einsatz von Gewalt selbst wird infrage gestellt, es werden lediglich Strategie und Taktik den veränderten Verhältnissen angepasst. Großangelegte Bodenoffensiven sind erst einmal passé, nunmehr sollen es Drohnen und Luftangriffe richten, in Verbindung mit fragwürdigen Bündnispartnern vor Ort. Rational ist das nicht, ohne Zweifel aber profitabel. So hat sich der Aktienkurs des größten US-Rüstungskonzerns, Lockheed Martin, zwischen Mitte 2010 und Mitte 2014 verdreifacht, allein zwischen Mitte 2013 und Mitte 2014 verdoppelt. Am 6. Oktober 2014 berichtete das Medienunternehmen

Bloomberg: «Angeführt von Lockheed Martin werden die Aktien der Rüstungsunternehmen zu Höchstpreisen gehandelt. Die Aktionäre profitieren von den eskalierenden Konflikten weltweit.» Besonders erfreulich: «Die Investoren erwarten steigende Absatzzahlen für die Produzenten von Lenkwaffen, Drohnen und anderem Kriegsgerät, da die Vereinigten Staaten die Kämpfer des Islamischen Staates in Syrien und im Irak ins Visier genommen haben.» Außerdem «sind die USA der größte Waffenlieferant Israels, das gerade eine 50-tägige Offensive gegen die Hamas im Gazastreifen hinter sich hat» – nunmehr würden die Bestände wieder aufgefüllt. Ähnlich zuversichtlich die «FAZ»: «Der Feldzug gegen den Islamischen Staat beschert Amerikas Rüstungsschmieden volle Auftragsbücher und satte Gewinne. Die Zeiten sinkender Rüstungsbudgets sind vorbei», heißt es am 18. Oktober 2014. «Auch die Entwicklung neuer Rüstungsprojekte dürfte einen Schub erhalten. ‹Aus der Sicht der Verteidigungsindustrie ist es der perfekte Krieg›, sagte Branchenkenner Richard Aboulafia von der Marktforschungsfirma Teal Group.»

Leon Panetta, ehemaliger CIA-Chef und Verteidigungsminister von 2011 bis 2013, kommentierte den Beginn der amerikanischen Luftangriffe auf IS-Stellungen im Irak im August 2014 mit den Worten: «Ich denke, wir stehen vor einem neuen 30-jährigen Krieg.» Und ergänzte: «Dieser Krieg wird über den Islamischen Staat hinausgehen und sich neuen Gefahrengebieten in Nigeria, Somalia, Jemen, Libyen und sonstwo zuwenden.» Im Klartext: Wir führen Krieg ohne zeitliche oder räumliche Begrenzung, wann und wo wir es für erforderlich halten. Egal, welche Folgen es für die betreffenden Regionen und die dort lebenden Menschen hat. Der amerikanische Enthüllungsjournalist Glenn Greenwald meint: «Es ist mittlerweile nicht mehr vorstellbar, dass sich die USA nicht im Krieg befinden. Das wäre eine Sensation, wenn das noch zu unseren Lebzeiten geschehen sollte. Regierungsbeamte sagen es ganz offen: Der Begriff ‹endloser Krieg› ist keine rhetorische Floskel, sondern eine präzise Zustandsbeschreibung amerikanischer Außenpolitik. Warum, ist nicht schwer zu verstehen. Ein endloser Krieg rechtfertigt Geheimniskrämerei, den Machtzuwachs der Regierung und die Aushöhlung von Bürgerrechten. Gleichzeitig werden Steuermittel in gewaltiger Höhe in die ‹Homeland Security› und die Waffenindustrie gesteckt.»

Machtkampf unter Kalifen

2009 beklagte sich Außenministerin Hillary Clinton in einer diplomatischen Depesche, die von WikiLeaks ins Netz gestellt wurde, dass Geldgeber aus Saudi-Arabien die größte Finanzierungsquelle für sunnitische Terrorgruppen weltweit darstellten. Allerdings betreibt nicht notwendigerweise die Regierung selbst diese Finanzierung, meist sind es vermögende Einzelpersonen und religiöse Stiftungen. Der «Islamische Staat», aus Sicht Riads ein Todfeind, erhält offenkundig kein Geld aus Regierungskreisen, wohl aber aus privaten Quellen. Die aus westlichen Hauptstädten gelegentlich zu vernehmende Forderung, die saudische Führung möge den Finanztransfer unterbinden, zeugt daher von Gutgläubigkeit. Damit würde Riad innenpolitischen Widerstand provozieren. Dessen ungeachtet hofieren Washington wie auch die Europäer weiterhin das saudische Regime und sehen es als Verbündeten im Kampf gegen sunnitische Extremisten an. Niemanden scheint es zu stören, dass saudische Prediger, millionenfach verbreitet über Satellitenfernsehen, YouTube und Twitter, offen dazu aufrufen, Schiiten zu töten, weil sie Häretiker seien.

Einige Zeit vor dem 11. September 2001 erklärte Prinz

Bandar Bin Sultan, langjähriger Botschafter Saudi-Arabiens in Washington und politisch wie geschäftlich eng mit dem Bush-Clan verbandelt, gegenüber dem damaligen Chef des britischen Geheimdienstes MI 6, Richard Dearlove: «Im Nahen Osten ist die Zeit nicht fern, Richard, da es sprichwörtlich heißen wird: ‹Möge Gott den Schiiten beistehen.› Mehr als eine Milliarde Sunniten haben einfach genug von ihnen.» Die britische Zeitung «The Independent» zitiert Dearlove am 13. Juli 2014 mit den Worten: «Es war ein erschreckender Kommentar, an den ich mich in der Tat sehr gut erinnere.» Westliche Regierungen spielen die engen ideologischen und finanziellen Bande zwischen dem wahhabitischen Staatsislam und dem Dschihadismus in der Regel herunter. Ähnlich wie die saudische Führung glauben auch sie an die Quadratur des Kreises: Einerseits sunnitische Dschihadisten im Kampf gegen unliebsame Herrscher einzusetzen, damals gegen die Sowjets in Afghanistan, heute gegen Baschar al-Assad, andererseits aber die Geister, die man rief, unter Kontrolle halten zu können. Spätestens seit 9/11 sollte man es eigentlich besser wissen.

Prinz Bandar selbst, von 2012 bis 2014 Geheimdienstchef Saudi-Arabiens, wurde entlassen, weil ihn die saudische Führung offenbar verantwortlich machte für das Erstarken des «Islamischen Staates» in Syrien. Ebenso wurde ihm wohl das Scheitern seiner Strategie angekreidet, mit Hilfe von Dschihadisten Assad zu stürzen. Prinz Bandar gilt als Urheber des erwähnten Anschlages auf das innere Machtzentrum Assads im Juli 2012. Weltanschaulich passt kaum ein Blatt Papier zwischen den Wahhabismus und die Ideologie des IS. Vor allem dessen brutales Vorgehen gegen Schiiten und andere religiöse Minderheiten sowie die auch in Saudi-Arabien wenig geschätzten, weil meist säkular eingestellten und nicht-arabischen Kurden liegt ganz auf der Linie wahhabitischer Hassprediger. Aber: Der «Islamische Staat» hat Saudi-Arabien indirekt den Krieg erklärt, indem dessen Anführer, Abu Bakr al-Baghdadi, am 29. Juni 2014 in Mossul ein Kalifat ausrief und sich selbst zum Kalifen ernannte. Damit forderte er den Führungsanspruch Saudi-Arabiens in der sunnitisch-islamischen Welt heraus, das sich selbst den Ehrentitel «Kalifat der Gläubigen» verliehen hat und den saudischen König als «Hüter der beiden Heiligen Stätten» apostrophieren lässt, also von Mekka und Medina.

Wer Al-Qaida oder den «Islamischen Staat» erfolgreich zu bekämpfen sucht, müsste an die Wurzel gehen und das saudische Regime unter Quarantäne stellen. Da es pro-westlich und der weltweit größte Erdölproduzent ist, wird das kaum geschehen. Dementsprechend ist der «Islamische Staat» auch schwerlich zu besiegen. Möglicherweise militärisch, aber nicht ideologisch. Selbst wenn er zerfiele oder in die Defensive geriete, würden die Kämpfer untertauchen, unter neuem Namen weitermachen oder sich aufspalten. Der Wahhabismus, ihr geistiger Nährboden, bliebe erhalten, ebenso der Staatszerfall in Syrien und im Irak. Desgleichen der konfessionell aufgeladene Konflikt: Sunniten gegen Schiiten.

Wie erwähnt, ist der «Islamische Staat» aus dem Umfeld Al-Qaidas im Irak hervorgegangen. Al-Qaida ist es dort nicht gelungen, die sunnitische Bevölkerung für sich zu gewinnen. Im Gegenteil, zahlreiche Stämme entlang des Euphrats bekämpften aktiv die Terrororganisation, unterstützt mit Waffen und Geld aus den USA. Zum einen teilten die wenigsten irakischen Sunniten deren Vorstellung eines weltweiten Dschihad wider die Kreuzfahrer. Sie wollen in erster Linie ihre verlorene Macht in Bagdad zurückerobern. Zum anderen stammten zahlreiche Kämpfer Al-Qaidas aus dem Ausland und hatten keinen Bezug zum Irak. Das änderte sich mit dem IS respektive dessen Vorläuferorganisation. Der IS verstand sich zunächst als rein irakische Gruppierung und entwickelte sich innerhalb von nur wenigen Jahren, 2006 bis 2010, zu einer schlagkräftigen Miliz und einem innerirakischen Machtfaktor. Der IS ist keine Neuerfindung, konnte vielmehr auf bereits vorhandene Strukturen zurückgreifen, jene von Al-Qaida, des Saddam-Regimes und der sunnitischen Stämme. Unter denen ist er bestens verwurzelt und vernetzt. Gleichzeitig haben sich zahlreiche ehemalige Offiziere, Generäle, Geheimdienstleute, aber auch einfache frühere Soldaten Saddam Husseins, dem IS angeschlossen, was dessen überlegene Kriegsführung erklärt. Da er von Anfang an viel Geld aus den Golfstaaten erhielt und damit Waffen kaufen konnte, außerdem militärisch erfolgreich war, schlossen sich ihm mehr und mehr sunnitische Aufständische an.

Nieder mit den Römern!

Dennoch wäre der IS wahrscheinlich eine innerirakische Erscheinung geblieben, hätte nicht der Krieg in Syrien neue Fronten eröffnet. Immer mehr Schiiten aus dem Irak und die schiitische Hisbollah kämpften auf Seiten Assads. Damit heizten sie die Ressentiments vieler Sunniten an, denen zufolge es im Irak wie auch in Syrien um die Verteidigung des sunnitischen Islam wider seine schiitischen Verderber gehe. 2012/13 begann der IS, auch im Nachbarland aktiv zu werden. Entsprechend wurde der Name der IS-Vorläuferorganisation von «Islamischer Staat im Irak» in «Islamischer Staat im Irak und in *Scham*» geändert, wobei *Scham* in der Regel mit Großsyrien oder Levante übersetzt wird. *Scham*, umgangssprachlich die Bezeichnung für Syrien oder auch Damaskus, hat für gläubige Muslime jedoch eine besondere heilsgeschichtliche Bedeutung. Historisch umfasst *Scham* das heutige Syrien, Libanon, Israel/Palästina und Jordanien. Jerusalem ist mit der Al-Aqsa-Moschee, die an die Himmelfahrt des Propheten von dieser Stelle erinnert, die drittheiligste Stadt des Islam nach Mekka und Medina. Damaskus war die Hauptstadt des Omajjaden-Kalifats (661–750), des ersten sunnitischen Großreiches. Dort liegen die Gräber von Saladin, der 1187 die Kreuzritter aus Jerusalem vertrieb, und von Ahmad Ibn Taimiyya (1263–1328), jenem ultrakonservativen Rechtsgelehrten, der heute noch von Salafisten hochverehrt wird und dem Begründer des Wahhabismus als Quelle der Inspiration diente. In *Scham* befinden sich aber auch zahlreiche Gräber, die den Schiiten heilig sind, darunter der Schrein der Prophetenenkelin Zeinab unweit von Damaskus.

Last not least glauben Sunniten wie auch Schiiten, zumindest die überaus gottesfürchtigen, dass es in *Scham* zum Armageddon kommt, zum heilsgeschichtlichen Endkampf. Angeblich ist vom Propheten Mohammed der Ausspruch (Hadith) überliefert: «Die letzte Stunde der Geschichte wird erst kommen, wenn die Römer entweder bei Al-A'maq oder bei Dabiq aufmarschieren. [Beide Orte liegen nordöstlich von Aleppo, direkt an der türkischen Grenze. Mit ‹Römer› ist Byzanz gemeint, ML] Dann wird eine Armee aus Medina, eine Armee des besten Volkes auf Erden, aufbrechen und sich ihnen stellen.» Laut Überlieferung wird diese muslimische Armee einer gewaltigen Übermacht entgegentreten, die aus 42 Heeren besteht. Dennoch werden die Muslime den Feind vernichtend schlagen. Die Schiiten, die nur zehn Prozent der Muslime stellen, glauben, dass nach diesem Endkampf der Mahdi, der Erlöser, erscheinen werde, um die Gläubigen ins Paradies zu geleiten. Radikale Sunniten deuten diesen Hadith als Versprechen eines endgültigen Siegs über die Ungläubigen, einschließlich der Schiiten. Die unterschiedliche Auslegung ist ein Grund dafür, warum den Schiiten der Dschihad gegen Nichtmuslime weitgehend fremd geblieben ist. Einen schiitischen Osama bin Laden kann es eigentlich nicht geben. Die im Internet in mehreren Sprachen, darunter auch auf Deutsch, verbreitete und bemerkenswert professionell gestaltete Propaganda-Hochglanzpostille des «Islamischen Staates» heißt Dabiq und spielt damit auf den oben genannten Hadith an: Dessen Kämpfer sehen sich als die verheißene «Armee aus Medina».

Man sollte die Wirkungsmacht solcher Heilsversprechen unter emotional aufgeladenen Gläubigen, besonders im Umfeld von Krieg und Gewalt, nicht unterschätzen. Die Namensentwicklung, vom «Islamischen Staat im Irak» über den «Islamischen Staat im Irak und in Großsyrien», *Scham*, und schließlich zum «Islamischen Staat» markiert den rasanten, innerhalb von wenigen Jahren vollzogenen Wandel von einer innerirakischen hin zu einer die gesamte sunnitisch-islamische Welt ansprechenden Dschihad-Gruppierung. Hierzulande wird sie meist als Terrorgruppe apostrophiert und damit gewaltig unterschätzt. Sie ist weitaus mehr als das: ein islamistisches Staatsprojekt, das Grenzen einreißt und längst Al-Qaida als «Leuchtturm» radikalisierter Sunniten abgelöst hat.

Ihr Anführer ist, seit 2010, der 1971 geborene Ibrahim al-Badri aus Samarra, ein theologisch nie in Erscheinung getretener Islamgelehrter, der in Samarra und Bagdad Islamseminare besucht haben soll, angeblich das Diplom einer islamischen Hochschule aus Samarra besitzt und 2004 einige Monate in US-Gewahrsam verbrachte. Viel ist über den Mann, der sich den Kampfnamen Abu Bakr «al-Baghdadi» zugelegt hat, «der aus Bagdad», nicht bekannt. Selbstverständlich ist auch dieser Name symbolträchtig. Abu Bakr war einer der ersten Anhänger des Propheten

Mohammed und dessen Schwiegervater. Nach Mohammeds Tod 632 herrschte er bis an sein Lebensende 634 als dessen «Nachfolger», arabisch «Kalif», über die Gläubigen. Bagdad wiederum war Sitz des Kalifats der Abbasiden (750–1258), das auf die Omajjaden in Damaskus folgte und ein Weltreich begründete, das von Spanien bis an die Grenzen Indiens reichte.

Wenn man die Symbolik radikalisierter Sunniten entschlüsselt, dann heißt dies: Der «Islamische Staat» tritt in der Tradition der Abbasiden die Nachfolge der Omajjaden an, womit Saudi-Arabien gemeint ist. Der IS ist nunmehr der Hüter des wahren Glaubens, so wie einst Abu Bakr das Erbe Mohammeds bewahrte. Und der IS wendet sich an die gesamte islamische Welt, wird ihr «geistiges» und «spirituelles» Zentrum – so wie einst Bagdad. Die Kalifatsidee war auch deswegen ein kluger Schachzug, weil sie radikalisierten Sunniten sehr viel mehr Identifikationsfläche bietet als Al-Qaida. Die steht für 9/11 und Osama bin Laden, weist aber nicht in die Zukunft. Al-Qaida war gestern, der IS markiert das Heute und Morgen.

Vormarsch in Syrien

Nachdem der «Islamische Staat» in den syrischen Bürgerkrieg eingegriffen hatte, eroberte er sukzessive die östlichen Landesteile, die zuvor von anderen islamistischen Gruppierungen kontrolliert worden waren. Am 9. April 2013 verkündete Abu Bakr al-Baghdadi den Zusammenschluss des IS mit der Nusra-Front, des syrischen Zweiges von Al-Qaida, was allerdings schon am nächsten Tag vom Nusra-Chef, Abu Mohammed al-Dschulani, widerrufen wurde. Aiman al-Sawahiri, der Nachfolger Osama bin Ladens, forderte den IS-Führer am 23. Mai 2013 auf, sich mit seinen

Leuten in den Irak zurückzuziehen. Daraufhin kam es zum Bruch zwischen beiden Organisationen, begleitet von blutigen Gefechten. Allein in der ersten Jahreshälfte 2014 soll es dabei mindestens 6000 Tote gegeben haben. Der IS erwies sich als besser ausgerüstet und organisiert und schlug die Nusra-Front wie auch andere Widersacher an fast allen Fronten. Viele radikale Islamisten liefen daraufhin mit ihren Waffen zu den Siegern über, darunter auch «gute» Dschihadisten. Besonders ausländische und jüngere Glaubenskämpfer fühlten sich von der Kompromisslosigkeit des IS angesprochen. Mit größter Brutalität, darunter Autobomben, Selbstmordattentaten und der Ermordung von Anführern, ging er gegen solche islamistischen Gruppen vor, die Abu Bakr al-Baghdadi zuvor des «Glaubensabfalls» bezichtigt hatte.

Der Syrienfeldzug des «Islamischen Staates» war auch wirtschaftlich ein Erfolg. Nach der Eroberung der syrischen Ölquellen um Deir as-Sor verkaufte er das erbeutete Erdöl an das Assad-Regime, Abnehmer in der Türkei und, seit dem Sommer 2014, auch in den Irak. Je weiter die Expansion in Syrien voranschritt, umso mehr wuchs der unverhohlene Anspruch Abu Bakr al-Baghdadis, zum einzigen und obersten Befehlshaber aller Dschihadisten in Syrien und im Irak zu werden – und darüber hinaus. Vor diesem Hintergrund reifte im Frühjahr 2014 die Kalifatsidee. Sie umzusetzen, dafür bedurfte es eines grenzüberschreitenden Territoriums. Niemand wird Kalif, Herrscher der Gläubigen, in nur einem Staat. Anfang Juni 2014 begann der Überraschungsangriff im Irak, im selben Monat folgte, wie erwähnt, die Ausrufung des Kalifats in Mossul.

Abu Bakr al-Baghdadi, auch Kalif Ibrahim genannt, ist in jeder Hinsicht skrupellos, allein auf Machtkonsolidierung fokussiert – und doch ein ebenso geschickter Stratege wie auch Menschenfänger. Er weiß genau, wie er Emotionen schürt und mit Hilfe religiöser Symbolik Anhänger mobilisiert. Das Kalifat wurde am 29. Juni 2014 ausgerufen, dem ersten Tag des Fastenmonats Ramadan: Ein perfektes Timing. Am ersten Freitag des Fastenmonats, am 4. Juli 2014, hielt er seine erste dokumentierte Freitagspredigt, in der Nuri-Moschee von Mossul. Der Islamwissenschaftler Stephan Rosiny hat sie treffend analysiert: «Wegen seiner im ‹Dschihad› erlangten Kriegswunde erklomm ‹Kalif Ibrahim› nur humpelnden Schrittes die Kanzel. Dort reinigte er sich zunächst mit einem Zahnputzhölzchen den Mund, eine fromme Geste bei Salafisten, bevor er Koranverse, also ‹Worte Gottes›, in den Mund nahm, mit denen er seine in klassischem Hocharabisch gehaltene Predigt bestärkte. Er war mit schwarzem Turban und Umhang gekleidet, wie sie auch Mohammed bei der Rückeroberung Mekkas im Jahr 630 getragen haben soll.»

Deswegen auch die schwarze Fahne des «Islamischen Staates» und die häufig schwarze Kleidung seiner Kämpfer, die ebenfalls auf diese Rückeroberung anspielen. Mehr noch, schwarze Uniformen und Flaggen gehörten zur höfischen Etikette der Abbasiden im achten Jahrhundert und erinnern somit an das goldene Zeitalter des Islam. Rosiny weiter: «Selbst seine wertvolle Armbanduhr, die in Internetforen großen Spott hervorgerufen hatte, könnte als islamrechtlich legitime ‹Kriegsbeute› auf die materiellen Vorzüge des Dschihad verweisen. Insgesamt präsentierte er sich aber demütig als ein ‹Gleicher unter Gleichen›, der die schwere Bürde des Kalifats auf sich genommen habe. ‹Gehorcht mir, so wie ich Gott und seinem Gesandten gehorche. Wenn ich Gott und seinem Gesandten nicht gehorche, so müsst auch ihr mir nicht gehorchen.› Mit dieser rhetorischen Floskel, die er der Amtseinführung Abu Bakrs als Kalif im Jahr 632 entnahm, grenzte er sich von den herrschsüchtigen Despoten der Region ab. Zugleich folgt er dem salafistischen Habitus, der jegliche Verehrung eines Menschen als Heiligen verbietet.»

Das Bayern München des Dschihad

Bemerkenswert am Siegeszug des «Islamischen Staates» in den sunnitischen Gebieten Iraks im Juni 2014 war weniger das rasche Vordringen selbst, das immerhin in dessen Kernland stattfand, als vielmehr das Versagen der irakischen Armee. Die meisten der rund 100 000 Soldaten entlang der Frontlinien sind kampflos geflohen und ließen dabei ihre hochmodernen, amerikanischen Waffen zurück, darunter Panzer und Flugzeuge. Zuvor bereits hatte der «Islamische Staat» zahlreiche Waffenlieferungen in Syrien abgefangen, die Amerikaner wie Golfaraber eigentlich «guten» Dschihadisten zugedacht hatten. Die «New York Times» bezifferte den Gesamtwert der vom IS erbeuteten Waffen im September 2014 auf mehrere hundert Millionen Dollar. Damit spätestens wurde er zu einem regionalen Machtfaktor, ist der «Islamische Staat» die am besten ausgerüstete Dschihadisten-Gruppierung weltweit. In Verbindung mit der gerade radikale Islamisten ansprechenden Kalifatsidee, die Eroberung und Raub verheißt und eine Kampfansage an die wenig gelittenen Golfmonarchien wie auch den verhassten Westen beinhaltet, wurde der IS gewissermaßen Kult. Geraume Zeit war er das *winning team*, er war, mit Verlaub, das Bayern München des Dschihad. Für Al-Qaida interessierte sich unter jüngeren Dschihadisten kaum noch jemand, stattdessen strömten Tausende Glaubenskämpfer aus Nordafrika, Europa, dem Nahen Osten, dem Kaukasus, dem Fernen Osten, in Richtung Syrien und Irak, meist über die Türkei.

Man kann es den irakischen Soldaten nicht verdenken, dass sie geflohen sind. Alle Führungsränge in der irakischen Armee sind käuflich, die Offiziere und Generäle haben sich meist als Erste abgesetzt. Warum sollte ein Rekrut oder einfacher Soldat für 60 Dollar Monatssalär sein Leben riskieren? Für die ebenso korrupte wie unfähige Zentralregierung in Bagdad?

Ganz anders die Motivation der IS-Kämpfer. Sie befinden sich durchgehend in einer «Win-win»-Situation. Töten sie Gegner und Feinde, erhalten sie gewissermaßen Bonuspunkte für ihren Aufstieg in den siebten Himmel, die höchste Stufe des Paradieses. Sterben sie als «Märtyrer», landen sie sofort ganz oben, wo glutäugige, vorzugsweise blonde oder blondierte Jungfrauen es kaum erwarten können, die furchtlosen Helden leidenschaftlich zu verwöhnen. Die Wirkungsmacht erotisch aufgeladener Verheißungen ist im Umfeld einer sexuell zumeist repressiven Gesellschaft wie der orientalischen nicht zu unterschätzen. Für IS-Kämpfer sind Vergewaltigungen «ungläubiger» Frauen, auch in Form von Zwangsprostitution, gang und gäbe. Das hat sich herumgesprochen und ist für junge Männer, die unter normalen Umständen keine Chance auf Sex außerhalb der Ehe haben und gleichzeitig zu arm sind, um zu heiraten, ein attraktives Angebot.

Die Todesverachtung zumindest eines großen Teils der IS-Kämpfer gehört zur Kriegsstrategie. Vielfach haben sie bei ihrem Vormarsch nur in den Stadtverwaltungen oder in den Kasernen angerufen und mitgeteilt: Wir kommen. Und wir freuen uns auf den Tod. Das reichte, um Panik, Flucht und Kapitulation auszulösen, nicht zuletzt aufgrund der im Internet kursierenden Enthauptungs-Videos. Auch Mossul haben sie auf diese Weise eingenommen, beinahe kampflos.

Sunniten, die den Herrschaftsanspruch und die damit einhergehende Ideologie des IS anerkennen, haben nichts zu befürchten. Angehörige religiöser Minderheiten werden aufgefordert zum Islam zu konvertieren. Christen können, wenn sie Glück haben, alternativ eine «Kopfsteuer» entrichten. Lassen sie sich darauf nicht ein, riskieren sie ihren Tod. Schiiten, die dem IS in die Hände fallen, werden ebenso wie gefangengenommene Regimesoldaten oder kurdische Kämpfer in aller Regel sofort erschossen, oft genug zu Hunderten.

Sprich: Mein Gott! Lass Hirn vom Himmel fallen

Trotz Repression und menschenfeindlicher Weltanschauung verläuft der Alltag in den vom IS kontrollierten Gebieten äußerlich weitgehend normal. Der Universitätsbetrieb geht weiter, die Schulen sind geöffnet. Städtische Dienstleistungen wie die Müllabfuhr funktionieren. Es gibt Suppenküchen für Arme, Bedürftige werden finanziell unterstützt. Der IS erhebt Steuern und hat eine Wehrpflicht eingeführt. Die Regierungsbezirke sind in Provinzen unterteilt, unter denen ein «Länderfinanzausgleich» zugunsten ärmerer Regionen stattfindet. «Kalif Ibrahim» persönlich hat ausdrücklich Rechtsgelehrte und Richter, Ingenieure, Verwaltungsfachleute und Ärzte aufgefordert, beim Staatsaufbau zu helfen. Sie werden vergleichsweise gut bezahlt, an Geld fehlt es nicht. Vor allem der Verkauf von Erdöl bringt Devisen, ein weiterer Faktor sind finanzielle Zuwendungen aus den Golfstaaten, von reichen Privatiers und religiösen Stiftungen. Der Schmuggel ist lukrativ, ebenso kriminelle Geschäfte wie Lösegeldzahlungen oder Schutzgelderpressung.

Insgesamt leben sechs Millionen Menschen unter der Kontrolle des IS. Sein Einflussbereich erstreckt sich von den Vororten Aleppos bis an die Stadtgrenzen Bagdads. Hauptstadt des Kalifats ist die syrische Wüstenstadt Raqqa. Nach Schätzungen von US-Geheimdiensten verfügt er über 20 000 bis 30 000 aktive Kämpfer. Andere Quellen sprechen von mehr als 50 000 Mann unter Waffen. Hinzu kommen mindestens ebenso viele Verwaltungskräfte, die das Funktionieren des Kalifats gewährleisten. Angeblich zahlt der «Islamische Staat» seinen Kämpfern einen Monatssold zwischen 200 und 600 Dollar. Verwaltungsangestellte verdienen durchschnittlich 300 Dollar, Abteilungsleiter bis zu 2000 Dollar.

Die genaue Führungsstruktur ist nicht bekannt. Es heißt, dass «Kalif Ibrahim» über zwei Stellvertreter verfügt, der eine zuständig für Syrien, der andere für den Irak. Es soll einen «Führungsrat» geben, eine kleine Gruppe von Vertrauten des «Kalifen». Des Weiteren ein «Kabinett» aus Technokraten und Managern, die sich mit Finanzen, Sicherheit, Gefangenen, der Rekrutierung von Kämpfern und nicht zuletzt der äußerst professionellen Medienarbeit befassen («Dabiq»). Und schließlich «regionale Räte», die als Ansprechpartner vor Ort dienen und mit militärischen wie auch zivilen Aufgaben betraut sind. Auf der Ebene dieser «Räte» sind zahlreiche Offiziere des ehemaligen Saddam-Regimes aktiv. Militärisch setzt der IS auf kleine Stoßtrupps, wobei überwiegend Toyota-Geländewagen mit freier Ladefläche eingesetzt werden, auf der schwere Maschinengewehre oder Granatwerfer befestigt sind. Die Einheiten werden stets neu und sehr kurzfristig zusammengestellt, die Kommunikation erfolgt vielfach über Handy und Internetdienste wie Facebook oder Twitter. Angeblich verfügt der IS aber auch über ein internes und vor Hackerangriffen geschütztes Kommunikationsnetz. Die Kämpfer setzen auf maximales Tempo und Überraschung, schießen den Weg frei für nachrückende Einheiten. Mit dieser Guerillataktik sind sie konventionellen Armeen deutlich überlegen.

Und allenthalben ist im «Islamischen Staat» die «Religionspolizei» im Einsatz. Was der IS unter Bildung versteht, geht aus dem folgenden Dokument hervor:

Diwan al-Ta'lim (Amt für Schulwesen) Logo des IS:
Sprich: Mein Herr! Mehre mein Wissen Gott, Prophet, Mohammed

ISLAMISCHER STAAT

Ein Kalifat im Geiste des Propheten

Bekanntmachung Nummer 006

IM NAMEN DES ALLERBARMERS

Gott sei gepriesen für seine Unterstützung des Islam und der Muslime, gepriesen auch für die Niederungen des Unglaubens und der Ungläubigen. Ehrerbietung und Verneigung dem Vorzüglichsten unter den Propheten, Mohammed. Allah betet für ihn und für alle Propheten und deren Gefährten bis ans Ende der Zeit.

Bekanntmachung für alle Fakultäten der Universität in Mossul, für alle Professoren, Dozenten, Mitarbeiter und Angestellte.

In Anbetracht der gegebenen Umstände, der Einführung islamischer Grundlagen, des Interesses der Allgemeinheit und mit Blick auf die Angelegenheiten der Muslime, hat der Diwan al-Ta'lim das Folgende beschlossen:

Alle Professoren, Dozenten und Angestellten der Universität sind seit Samstag, den 24. Dhu al-Hiddscha 1435 Hijri, dem 18. Oktober 2014 A. D., verpflichtet, ihrer Arbeit nachzugehen. Insbesondere sollen sie alles unternehmen, um die Durchführung der Universitätsprüfungen zu gewährleisten.

Die folgenden Fakultäten und Abteilungen, die sich gegen die Scharia richten, werden geschlossen und abgeschafft:

Fakultät für Jura, Politikwissenschaft und Kunst.

Archäologie, Sporterziehung und Philosophie.

Tourismus und Hotelmanagement.

Abgeschafft werden ebenso alle Lehrinhalte, die gegen die Scharia sind:

Demokratie, Kultur, Freiheit und Rechte.
Romane und Theaterstücke in den Sprachen Englisch und Französisch und generell Übersetzungen.
Die folgenden Fragen werden nicht thematisiert: Nationalität, ethnische Zugehörigkeit, Geschichte, Grenzziehung.
Die Lehrkräfte sind gehalten, stets Folgendes zu beachten:
Trennung von Männern und Frauen gemäß der Scharia.
Der Begriff «Republik Irak» wird durch «Islamischer Staat» ersetzt.
Der Begriff «Ministerium für Hochschulwesen» durch «Amt für Schulwesen» (Diwan al-Ta'alim).
DIESE BEKANNTMACHUNG IST EIN BEFEHL. ER IST VERPFLICHTEND. ZUWIDERHANDLUNGEN WERDEN BESTRAFT.
Allahs Befehle führen zum Sieg, aber vielen Menschen ist das nicht bewusst.
Gott sei gepriesen.
Diwan al-Ta'alim
Gezeichnet: Dhu al-Qarnein

Der Name bedeutet wörtlich: der Zweihornige und bezeichnet im Arabischen Alexander den Großen. Da es sich offenkundig um einen *nom de guerre* handelt, ist die Botschaft klar: Wir haben unsere Grenzen noch lange nicht erreicht. Der Text ist im Tonfall typisch für radikale Islamisten. Religiöse Überhöhung übertüncht ein Weltbild, das Konformismus und Unterordnung verlangt. Bildungsferne erhält den Rang einer Ideologie.

Verbrannte Erde

Wie kann der Bedrohung durch den «Islamischen Staat» begegnet werden? Diese Frage ist nicht einfach zu beantworten, Patentlösungen gibt es nicht. Der IS ist die Quittung für den ebenso völkerrechtswidrigen wie sinnlosen, US-geführten Einmarsch im Irak 2003 und die nachfolgende Zerstörung irakischer Zentralstaatlichkeit sowie den Krieg in Syrien, der gleichermaßen Bürger- und Stellvertreterkrieg ausländischer Interessen ist. Der gescheiterte Versuch, Baschar al-Assad zu stürzen, vor allem mit Hilfe «guter» Dschihadisten, hat erst die Grundlage für den Siegeszug des IS in Syrien geschaffen. Umfassende Militäreinsätze können den «Islamischen Staat» möglicherweise schwächen, aber nicht besiegen. Das gilt auch mit Blick auf die nach den Terroranschlägen von Paris im November 2015 intensivierten Luftangriffe mehrerer Staaten, darunter Frankreich und Russland. Sein Erfolg erklärt sich durch das politische Vakuum im Irak und in Syrien, das er selbst jedoch nicht erschaffen hat. Zudem weist alles darauf hin, dass Washington und die Europäer ihre fragwürdige Politik fortsetzen werden. Das bedeutet: Sie halten, zumindest offiziell, an ihrem Ziel eines Regimewechsels in Damaskus fest und hoffen, dass die Regierung in Bagdad den Konflikt zwischen Sunniten und Schiiten irgendwie entschärfen möge, obwohl die von ihr betriebene Politik gegenüber den Sunniten selbst Teil des Problems ist. Darüber hinaus gelten «Luftschläge» als Gebot der Stunde, Luftangriffe auf gut Deutsch.

Westliche Politik hat in Syrien und im Irak verbrannte Erde hinterlassen. Der Schaden ist so gewaltig, dass er wahrscheinlich irreparabel ist und sich Lösungen heute noch nicht einmal ansatzweise abzeichnen. Möglicherweise muss erst die ganze Region in Flammen aufgehen, bis die Verantwortlichen in Washington und anderswo begreifen, dass es keine Tabus mehr geben darf. Den schiitischen Iran als einen der wichtigsten regionalen Akteure auch weiterhin auf Distanz zu halten, obwohl er ein natürlicher Verbündeter gegen sunnitische Extremisten wäre, ist ideologisch motivierter Unsinn und falscher Rücksichtnahme Israel und den Golfstaaten gegenüber geschuldet. Ein Großteil der Obama-Administration und europäischer Entscheidungsträger haben das mittlerweile verstanden. Die israelische Politik setzt ihrerseits zunehmend auf die religiöse Karte, um die Gründung eines palästinensischen Staates zu verhindern: Hier die Juden, dort die Muslime. Hier die Guten, da die Bösen. Hamas gleich IS. Zum Brennpunkt entwickelt sich zunehmend der Tempelberg, auf dem die jüdische Klagemauer an die Al-Aqsa-Moschee grenzt. Muslimen wird der Zugang zur Moschee erschwert, während gleichzeitig die Rufe nach jüdischen Gebeten auf dem Moscheegelände immer lauter werden, orchestriert von den Ultranationalisten in der Knesset, dem israelischen Parlament. Eines nicht mehr fernen Tages könnten die Extremisten des jüdischen Staates auf die des «Islamischen» treffen. In den Golfstaaten wiederum zittern die Monarchen, weil sie genau wissen, dass der IS mittelfristig weniger eine militärische als vielmehr eine ideologische Gefahr darstellt und seine Saat unter der einheimischen Bevölkerung über die Maßen aufgehen könnte. Die Geister, die der Wahhabismus gerufen hat, sind mittlerweile in der Lage, den Lehrmeister vom Thron zu stürzen.

Die Lage ist so verfahren, dass westliche Regierungen mit allen Beteiligten reden und verhandeln müssten. Das schließt Russland und China ausdrücklich mit ein. Geschehen wird es gleichwohl bestenfalls in Ansätzen, weil die amerikanische Politik einer hegemonialen Vernunft folgt, die nicht auf ein Gleichgewicht der Kräfte abzielt, sondern die politische und wirtschaftliche Vorherrschaft der USA weltweit zu sichern sucht. Vermutlich wird dieser fehlende Pragmatismus am Ende den Niedergang der Weltmacht noch beschleunigen.

Die CIA fördert Rebellen, glaubt aber nicht an ihren Erfolg

Eine militärische Lösung im Sinne einer Kapitulation oder vernichtenden Niederlage des «Islamischen Staates» ist unrealistisch, ein langjähriger Waffengang zum Nutzen der Rüstungsindustrie wahrscheinlich. Noch nie in der jüngeren Geschichte ist es einer regulären Armee gelungen, eine Guerillaarmee zu besiegen. Wenig spricht dafür, dass es im Falle des IS anders sein könnte, zumal Washington den Einsatz von Bodentruppen grundsätzlich ausschließt, offiziell jedenfalls. Vieles deutet allerdings darauf hin, dass es mittelfristig doch dazu kommt, denn Luftangriffe allein können lediglich punktuell Schäden anrichten, mehr nicht. Im September und Oktober 2014 führten die USA täglich 60 bis 70 Luftangriffe im Irak und in Syrien auf Stellungen des IS durch. Zum Vergleich: In Vietnam waren es täglich bis zu 2000. Gleichzeitig wird die irakische Armee ein weiteres Mal ausgebildet, um sie anschließend in den Kampf gegen den IS zu schicken. Anfang 2015 hatten die USA bereits wieder mehr als 3500 Soldaten im Irak im Einsatz, als Militärberater und Ausbilder, wie es heißt. Das Ergebnis solcher Bemühungen war allerdings schon beim ersten Siegeszug des IS zu besichtigen.

«Die CIA hat im Verlauf ihrer 67-jährigen Geschichte weltweit bewaffnete Aufstände unterstützt – von Angola über Nikaragua bis nach Kuba. Der anhaltende Versuch der CIA, syrische Rebellen auszubilden, ist nur das jüngste

Beispiel dafür, wie ein amerikanischer Präsident die Spionageagentur einsetzt, um verdeckt Rebellengruppen zu unterstützen und zu bewaffnen», schreibt die «New York Times» am 14. Oktober 2014. Allerdings: «Eine interne CIA-Studie hat festgestellt, dass das selten funktioniert.» Die unter Verschluss gehaltene Studie wurde laut Bericht von Präsident Obama in Auftrag gegeben, um zu prüfen, ob es sinnvoll sei, in Syrien militärisch einzugreifen. Vergleichbare Interventionen der CIA hätten in der Vergangenheit, so das Resümee, nur einen «minimalen Einfluss auf die langfristige Entwicklung» gehabt. Dessen ungeachtet erteilte der Präsident im April 2013 die Order, syrische Aufständische auf einer Militärbasis in Jordanien auszubilden. Später wurde der Einsatz ausgeweitet, mit dem Ziel, jährlich 5000 Rebellen in Saudi-Arabien auf den Kampf gegen den «Islamischen Staat» vorzubereiten. «Bislang mit begrenztem Erfolg (...) Die pessimistische Einschätzung der CIA mit Blick auf den Einsatz dieser Rebellen» erkläre Präsident Obamas Zurückhaltung, das militärische Engagement in Syrien auszuweiten oder gar US-Truppen dort einzusetzen. Was ihn allerdings nicht daran hindert, auch weiterhin «gute» Dschihadisten in den Kampf gegen Assad zu schicken und damit die Zerstörung Syriens weiter voranzutreiben.

Der amerikanische Linguist und Systemkritiker Noam Chomsky nahm diesen Artikel zum Anlass, zwei Wochen später eine scharfe Replik ins Internet zu stellen: «Präsident Obama solle die lange Tradition dieses Landes, Aufständische im Ausland zu unterstützen, als das bezeichnen, was es ist: von den USA unterstützter Terrorismus.» Er untersucht die Maßnahmen zur Destabilisierung Angolas, Nikaraguas und Kubas und verweist darauf, dass allein die Bewaffnung und Finanzierung der terroristischen Unita-Armee unter Jonas Savimbi in Angola laut einer UN-Untersuchung von 1989 mehr als 1,5 Millionen Menschen das

Leben gekostet hat. «Washington ist mittlerweile», so Chomsky, «Weltmeister darin, den Terror selbst heranzuzüchten», der anschließend zur globalen Bedrohung anwachse. Er zitiert den ehemaligen CIA-Analysten Paul Pillar, der davor warnt, dass die Luftangriffe in Syrien anti-westliches Ressentiment schüren und zur Folge haben könnten, dass sich die miteinander verfeindeten Islamisten von der Nusra-Front und dem IS zusammenschließen. Ähnlich kritisch äußerte sich der ebenfalls von Chomsky zitierte Journalist und ehemalige CIA-Mitarbeiter Graham Fuller: «Die USA hatten nicht die Absicht, den Islamischen Staat zu erschaffen. Aber deren zerstörerische Interventionen im Nahen Osten und der Krieg im Irak waren die beiden entscheidenden Geburtshelfer des IS.»

Dessen militärische Führung besteht wesentlich aus der alten Saddam-Generalität, die vor allem mit Amerikanern und Briten noch eine Rechnung offen hat. Ihr Ansinnen ist schlicht – aber offenbar nicht schlicht genug, um nicht doch möglicherweise den gewünschten Effekt zu erzielen. Sie will Amerikaner und Europäer zu einer Bodenoffensive verleiten. Wohl wissend, dass diese einen solchen Krieg nicht gewinnen könnten – siehe Afghanistan, siehe Irak in den Jahren der Besatzung – und sich auf politischen Treibsand begeben würden. Das erklärt die provokanten Enthauptungen britischer und amerikanischer Geiseln, die größte Empörung auslösten und den innenpolitischen Druck besonders auf Präsident Obama verstärkten, endlich «etwas zu tun». Vorstellbar auch, dass der IS durch Terroranschläge in Europa, wie jenen in Paris, eine westliche Intervention mit Bodentruppen zu provozieren sucht. Für den «Islamischen Staat» wäre sie eine willkommene Gelegenheit. «Kalif Ibrahim» würde sich als moderner Saladin inszenieren, der den Kreuzfahrern die Stirn bietet, er würde zum globalen Dschihad gegen die Ungläubigen aufrufen. Eine riskante Strategie, denn der IS würde ebenfalls einen hohen Preis bezahlen – doch nicht besiegt werden zu können ist für eine Guerillaarmee bereits der halbe Sieg. Nicht zuletzt mit Blick auf die Emotionen, die eine weitere großangelegte Militärintervention in einem islamischen Land unter Muslimen weltweit auslösen würde.

Deutsche Waffen für «gute» Kurden

Dennoch sind Militäreinsätze dort sinnvoll, wo sie helfen, den Vormarsch des IS an vorderster Linie aufzuhalten oder dessen Gegner zu unterstützen. Das betrifft insbesondere die Kurden im Norden Iraks und Syriens. Sie sahen sich massiven Angriffen durch den «Islamischen Staat» ausgesetzt, über Monate hinweg in der nordsyrischen Stadt Kobane, direkt an der türkischen Grenze gelegen. Gleichzeitig bestand die Gefahr, dass der IS auf Erbil vorrückt, die Hauptstadt des irakischen Kurdistans. Die US-Luftangriffe auf dessen Kämpfer bei Kobane und vor Erbil haben zahlreiche Dschihadisten getötet, die Rede ist von täglich zehn bis 30 Toten in den ersten Wochen. Erstmals geriet der erfolgsverwöhnte «Islamische Staat» in die Defensive, als Folge gezielter Bombardements. Das funktioniert allerdings nur, wenn das Einsatzgebiet klar umrissen ist.

Im Zuge dieser Gefechte haben kurdische Kämpfer im September 2014 bedrängten Minderheiten im Nordirak, darunter den Jesiden, geholfen, ihrer sicheren Ermordung durch den IS zu entgehen, indem sie einen Fluchtkorridor in Richtung Syrien und zurück in den Nordirak schufen. Die Bundesregierung hat daraufhin beschlossen, die nordirakischen Kurden militärisch auszubilden und mit leichten Waffen zu versorgen. Dagegen ist zunächst einmal nichts einzuwenden – allerdings ergeben sich daraus eine ganze

Reihe von politischen Fragen, die zu beantworten Berlin ebenso vermeidet wie auch die übrigen Akteure.

Die Kurden sind, ähnlich wie die Palästinenser, ein Volk ohne Staat. Nach dem Ersten Weltkrieg ließen die Kolonialmächte Großbritannien und Frankreich den Wunsch der Kurden nach Unabhängigkeit unberücksichtigt, sie wurden vielmehr auf vier Staaten aufgeteilt: Syrien, Türkei, Irak, Iran. Die Kurden im Norden Iraks haben am meisten vom Zerfall des Landes seit 2003 profitiert. De facto stehen sie kurz vor ihrer Unabhängigkeit, die sie allein aus Rücksicht auf türkische Befindlichkeiten nicht verkünden. Wirtschaftlich sind die Kurdengebiete eine Boomregion, dank ihres Erdölreichtums. Das Erdöl wird überwiegend über die Türkei verkauft, türkische Unternehmen gehören zu den größten Investoren im Nordirak. Dessen starker Mann ist Stammesführer Masud Barsani, Präsident der Autonomen Region Kurdistan, sein wichtigster Widersacher ein rivalisierender Stammesführer, Dschalal Talabani, der aufgrund seiner guten Beziehungen zu Washington von 2005 bis 2014 das Amt des wenig einflussreichen irakischen Staatspräsidenten bekleidete.

Die Kurden sind keine homogene Gruppe, sie verfolgen jeweils sehr unterschiedliche Interessen, die in der Vergangenheit oft genug auch gewaltsam ausgetragen wurden. Vereinfacht gesagt gibt es unter ihnen zwei einflussreiche politische Strömungen. Eine feudalstaatliche, deren wichtigster Vertreter Barsani ist, gefolgt von Talabani, und eine «sozialrevolutionäre», die mit der Religion ebenso gebrochen hat wie mit den traditionellen Stammesstrukturen. Sie wird vor allem von der Kurdischen Arbeiterpartei PKK vertreten.

Offiziell liefert die Bundesregierung deutsche Waffen an die «Peschmerga», die kurdischen Streitkräfte Nordiraks, in Absprache mit Bagdad. Tatsächlich aber gehören die eigentlichen Frontkämpfer gegen den IS vor allem zur PKK, die in der Türkei und Europa als Terrororganisation gilt. Der Krieg zwischen der türkischen Armee und der PKK im Südosten der Türkei hat seit 1984 mindestens 60 000 Menschen das Leben gekostet. Formell gibt es seit einigen Jahren ein Abkommen zwischen Ankara und der PKK, namentlich mit dem seit 1999 in der Türkei inhaftierten PKK-Führer Abdullah Öcalan, das die Autonomierechte der Kurden vor allem im Südosten der Türkei regelt. Doch hat Präsident Erdoğan den Krieg gegen die Kurden aus Gründen des Machterhalts im Sommer 2015 wieder aufgenommen. Deutsche Waffenlieferungen an die Peschmerga gehen auch weiterhin de facto an die PKK. Daraus lassen sich eigentlich nur zwei Konsequenzen ziehen. Entweder stellt die Bundesregierung die Bewaffnung dieser «Terroristen» ein oder aber sie streicht die PKK von der Terrorliste. Stattdessen hält Berlin an der offiziellen Linie fest, der zufolge die Waffen allein die «guten» Kurden erreichten, die Peschmerga. Und die Bundesregierung vermeidet jede Kritik am Vorgehen Ankaras gegen die Kurden jenseits mahnender Worte: ein schönes Beispiel für Schizophrenie als Mittel der Politik.

Anders als die nordirakischen Kurden verfügen diejenigen im Norden Syriens über kein zusammenhängendes Siedlungsgebiet, sie sind geographisch auf drei «Kantone» verteilt. Der kleinste Kanton ist der mittlere, der um Kobane. Bewusst hat der «Islamische Staat» gerade hier die Kurden angegriffen – er versucht einen Keil zwischen deren Gebiete zu treiben. Sehr zur Freude der Türkei, denn die größte politische Partei der Kurden im Norden Syriens, die Demokratische Union (PYK), ist ein Ableger der PKK. Deswegen hat die türkische Regierung auch erst sehr spät und nur wenige kurdische Kämpfer die Grenze zu Syrien passieren lassen – ausschließlich nordirakische Peschmerga, um Barsani einen politischen Gefallen zu tun. Denn aus türkischer Sicht sind die Kurden im Nordirak geschätzte Partner, während die Kurden im eigenen Land als Sicherheitsrisiko gelten. Mit dem dank amerikanischer Luftunterstützung erfolgreichen Widerstand der Kurden in Kobane hatte Ankara nicht gerechnet. Für dortige Nationalisten eine ungute Entwicklung, bedeutet sie doch ein wachsendes Selbstbewusstsein auf Seiten von PKK und PYK.

Der langjährige türkische Ministerpräsident und heutige Staatspräsident Erdoğan gehörte nach Beginn des Krieges in Syrien zu den Ersten, die mit Assad brachen, obwohl er mit ihm eine langjährige Männerfreundschaft pflegte. Offenbar in der Erwartung, als Mentor einer künftigen sunnitischen Regierung in Damaskus den türkischen Einfluss im Nahen Osten zu stärken. Für diese unkluge Entscheidung zahlt die Türkei einen hohen Preis. Zum einen wegen der drei bis vier Millionen syrischen Flüchtlinge im Land, vor allem aber, weil sie nunmehr einen neuen Nachbarn im Süden hat: den «Islamischen Staat». Zunächst ließ Ankara den IS gewähren, nutzte ihn im Kampf gegen die Kurden im Norden Syriens. Ankara ist bewusst, dass dieser der Türkei großen politischen und wirtschaftlichen Schaden zufügen könnte. Aus diesem Grund ging die türkische Regierung erst seit Juli 2015 militärisch gegen den «Islamischen Staat» vor – allerdings mit erheblich geringerem Nachdruck als gegenüber der PKK. Noch immer unterhielt der IS Rekrutierungsbüros für Dschihadisten aus aller Welt in der Türkei, wurden verletzte IS-Kämpfer in türkischen Krankenhäusern behandelt. Nach wie vor bestand ein enger Grenzhandel, pflegten der türkische Geheimdienst wie auch die Armee gute Kontakte in Richtung IS, vor allem zu ehemaligen Saddam-Leuten. Im Verlauf des Jahres 2015 hat Washington offenbar erheblichen Druck auf die türkische Regierung ausgeübt, die enge Kooperation mir dem IS zu beenden oder doch wenigstens erheblich einzuschränken. Wie es scheint, hat Ankara tatsächlich einen Kurswechsel vorgenommen, denn im selben Jahr kam es erstmals zu Terroranschlägen des IS in der Türkei.

Den Tiger reiten

Die Gemengelage könnte also komplexer kaum sein. Dass der «Islamische Staat» eine Bedrohung darstellt, steht außer Frage. Doch damit enden auch schon die Gewissheiten. Perspektivisch gibt es drei Szenarien. Die beiden optimistischen zuerst: Der «Islamische Staat» stößt zunehmend auf Widerstand in den von ihm kontrollierten Gebieten. Die unglaubliche Brutalität seines Vorgehens, die Massentötungen und der Gesinnungsterror führen zu lokalen Revolten. Sowohl in Syrien wie auch im Irak haben sich vereinzelt bereits sunnitische Stämme gegen den IS erhoben und dafür einen hohen Preis in Form von Massenhinrichtungen bezahlt. Dennoch, dieser Widerstand dürfte, allein aus Gründen der Blutrache, künftig eher zu- als abnehmen. Das vom IS gehegte Steinzeitverständnis von Religion entspricht ohnehin nicht dem Lebensgefühl, den Traditionen und Überzeugungen des sunnitischen Islam in Syrien und im Irak. Sein Erfolg hat politische Gründe, nicht religiöse. Selbst für den unwahrscheinlichen Fall, dass der gut verwurzelte IS in naher Zukunft implodieren sollte, hat das allerdings nicht zwangsläufig eine Entwicklung zum Besseren zur Folge – ebenso gut könnten eine weitere Dschihad-Miliz, oder auch mehrere, das Vakuum füllen.

Ob das dschihadistische Staatsprojekt auf Dauer wirtschaftlich bestehen kann, weiß gegenwärtig niemand. Noch ist der «Islamische Staat» eine reine Banditenökonomie. Ist eine Transformation in Richtung Marktwirtschaft vorstellbar, wird sie von der IS-Führung überhaupt angestrebt? Wahrscheinlich ist das nicht, aber auch nicht von vornherein auszuschließen. Je mehr Ölquellen der IS unter seine Kontrolle bringt, umso größer dürfte das Interesse dubioser und auch weniger dubioser Geschäftsleute werden, mit ihm Deals zu machen – die Türken machen es vor, auf anderer Ebene. Langfristig würde das die Zähmung des IS bedeuten, wenn es denn dazu käme. In dem Fall wäre der «Islamische Staat» die Wiedergeburt Saudi-Arabiens, unter anderen Vorzeichen.

Nun das pessimistische Szenario, das vermutlich mehr dem Geschmack des «Kalifen Ibrahim» entspricht. Syrien und der Irak sind erst der Anfang, die Expansion des IS setzt sich fort, etwa in Richtung Libanon, wo er bereits aktiv ist, oder in Richtung Jordanien, Mekka und Medina stets im Blick. Vor allem aber in Libyen ist er auf dem Vormarsch. Als rein arabisch-sunnitische Bewegung, abgesehen von vielleicht 2000 bis 5000 nichtarabischen Kämpfern, ist der «Islamische Staat» nicht in der Lage, sich kurdische oder schiitische Gebiete dauerhaft anzueignen. Er kann sie angreifen, sie mit Anschlägen überziehen, aber nicht ein Besatzungsregime errichten. Dafür reicht die Zahl seiner Kämpfer nicht. Deswegen vermag er auch nicht das mehrheitlich schiitische Bagdad zu erobern. Allerdings wäre er in der Lage, die sunnitischen Wohnviertel im Westen einzunehmen und damit die Stadt von ihren Hauptverkehrsadern abzuschneiden, einschließlich des Flughafens. Je größer die Erfolge des IS, umso entschlossener die militärische Gegenreaktion des Westens, aber auch seitens Teherans, das zahlreiche schiitische Milizen im Irak ausgebildet und bewaffnet hat und sie auch koordiniert. Sie sind, anders als die reguläre irakische Armee, ernstzunehmende Gegner für den IS und vielfach genauso brutal. Niemand weiß, wie sich die Lage in der Region in einem halben Jahr, in einem, geschweige denn in fünf Jahren darstellen wird. Die größte Gefahr geht mittel- und langfristig von der endemischen Instabilität aus, diesem nicht enden wollenden Chaos, bis eines Tages möglicherweise niemand mehr weiß, wo genau eigentlich die Fronten verlaufen und wer gegen wen kämpft.

Nach den Terroranschlägen in Frankreich 2015 verstärkten die USA und ihre Verbündeten sowie Russland ihren Kampf gegen den «Islamischen Staat», der seither nach und nach große Teile seines Herrschaftsgebietes verloren hat. Aber, wie erwähnt: Eine Guerilla-Miliz ist militärisch kaum zu besiegen. Im Zweifel taucht sie erst einmal unter und formiert sich anschließend neu.

«Heilige Allianz»: Die USA setzen auf Diktatoren- und Feudalherrscher

Westliche Politik gegenüber der arabisch-islamischen Welt ist blind gegenüber den Ursachen und der Komplexität gesellschaftlicher Umbrüche, wie sie die Region durchlebt. Sie glaubt an das Allheilmittel direkter oder indirekter militärischer Intervention – ohne Rücksicht auf Verluste. Sie unterstützt üble, aber «gemäßigte» arabische Regime, allen voran jene der Golfstaaten und die Putschregierung in Ägypten, weil sie pro-westlich sind und Stabilität verheißen. Sie verkündet «Demokratie, Freiheit, Menschenrechte», akzeptiert Wahlergebnisse aber nur, wenn der Gewinner genehm ist. Auf den Wahlsieg der Hamas 2006 in den palästinensischen Gebieten folgten Boykott und Isolierung, seither haben dort keine Parlamentswahlen mehr stattgefunden – aus Sorge, die Hamas könnte erneut gewinnen. Der Staatsstreich gegen die gewählte Regierung der ägyptischen Muslimbrüder 2013 hatte in westlichen Hauptstädten wenig mehr als mahnend erhobene Zeigefinger zur Folge, nicht anders als beim Militärputsch gegen den absehbaren Wahlsieger «Islamische Heilsfront» in Algerien 1992. Feldmarschall Sisi, der neue Machthaber in Kairo, wird hofiert und umworben, nicht zuletzt, weil er, aus westlicher Sicht, als Vermittler zwischen Israel und den Palästinensern eine vermeintlich wichtige Rolle spielt. Gleichzeitig wäre Sisis Putsch ohne Rückendeckung aus Riad mit Sicherheit nicht erfolgt – ohne saudisches Geld könnte Ägypten nicht überleben. Warum hat Riad den ägyptischen Generälen grünes Licht für ihren Staatsstreich gegeben? Weil die Wahhabiten in den deutlich gemäßigteren Muslimbrüdern einen gefährlichen Konkurrenten sehen und in der arabischen Revolte generell eine Bedrohung.

Widersetzt sich ein Land westlicher Hegemonie, wird es, wie der Iran, Syrien, der Irak unter Saddam Hussein, Libyen unter Gaddafi oder neuerdings auch Russland, mit Sanktionen überzogen. Immer in der Hoffnung, dadurch einen Regimewechsel herbeizuführen, was allerdings nirgendwo geschehen ist. Implodiert ein Staat, nicht zuletzt als Folge westlicher Militärintervention, antworten die Amerikaner mit unerklärten, schmutzigen Kriegen, vielfach von Söldnern geführt, stets auf der Jagd nach Terroristen. Zur Kriegsführung gehört in dem Fall auch der Einsatz von Drohnen, der bevorzugten Waffe Präsident Obamas in den Krisenstaaten der Region. Neben Afghanistan sind das vor allem Pakistan, der Jemen, Somalia, Libyen, zunehmend auch Syrien und der Irak. Über die Zahl der Todesopfer dieser offiziell meist geleugneten Einsätze lässt sich nur spekulieren, allein in Afghanistan sollen es in den Jahren der Besatzung (2001–2014) über 10 000 gewesen sein, mehrheitlich Zivilisten, die meist als «Kollateralschaden» geführt werden.

Die Amerikaner haben, unter anderem in Somalia, in Afghanistan und im Irak, erfahren müssen, dass von ihnen initiierte oder befeuerte Kriege unter Einsatz von Bodentruppen kostspielig und die Folgewirkungen schwer zu kontrollieren sind. Auch mit Blick auf deren Legitimierung gegenüber der eigenen Bevölkerung. Deshalb fordern sie zunehmend «Bündnissolidarität» von ihren europäischen Partnern ein, um die eigenen Militärausgaben zu verringern und politische Verantwortung zu verlagern. Das Ideal Washingtons ist der «delegierte Krieg»: Europäer oder regionale Akteure, bis hin zu «guten» Dschihadisten, übernehmen, gewissermaßen im Franchise-Verfahren, Ordnungsaufgaben im Sinne der USA. Deutsche Politik hat diese neue Arbeitsteilung bereitwillig angenommen, am sinnfälligsten zum Ausdruck gebracht in der Formulierung «mehr Verantwortung übernehmen» – eine rhetorische Chiffre für deutsche Militäreinsätze im Ausland, von Bundespräsident Gauck auf der Münchner Sicherheitskonferenz 2014 wirksam lanciert.

Libyen und die Folgen

Die erste Probe aufs Exempel eines solchen «delegierten Krieges» zeigte der Militäreinsatz in Libyen zum Sturz Gaddafis. Unter Berufung auf die «Schutzverantwortung» für libysche Zivilisten, festgehalten in der UN-Resolution 1973 vom 17. März 2011, bombardierten britische und französische Flugzeuge bereits in der folgenden Nacht Stellungen von Gaddafis Truppen und verhinderten deren Einmarsch in die ostlibysche Stadt Bengasi. Wie erwähnt hatten Moskau und Peking dieser Resolution zugestimmt, ohne allerdings damit zu rechnen, dass der Westen sie als Freibrief zum Sturz Gaddafis ansehen würde. Bei dieser Militärintervention, die sich bis in den Spätsommer erstreckte, übernahmen Großbritannien und Frankreich die Federführung, in enger Absprache mit den Amerikanern, die ihren eigenen Einsatz auf logistische Unterstützung beschränkten.

Im September 2011 rief der britische Premier David Cameron in Bengasi der jubelnden Menge zu: «Ihre Stadt war der Welt ein Vorbild, wie Sie den Diktator verjagt und die Freiheit gewählt haben!» Ein erhellendes Beispiel also für eine erfolgreiche, von selbstlosen Motiven getragene Intervention?

Gaddafis Sturz verdankte sich vor allem seiner wiederholt anti-westlichen Politik. Insbesondere den Amerikanern war seine Führungsrolle innerhalb der «Afrikanischen Union» ein Dorn im Auge, weil die bislang alle Versuche, US-Militärbasen in Afrika einzurichten, verhindert hat, mit Ausnahme Djiboutis. Auch der Zugriff auf libysche Ressourcen spielte eine Rolle. Doch anders als im Irak kamen im ebenfalls erdölreichen Libyen, dem zwölftgrößten Produzenten weltweit, nicht in erster Linie amerikanische und britische Ölfirmen in den Genuss der neu verteilten Explorationsrechte, sondern vor allem chinesische. Die großen Verlierer waren die Russen, die mit Gaddafi gute Geschäfte gemacht hatten. Der war, nicht anders als Baschar al-Assad oder Saddam Hussein, ein klassischer Feudalherrscher, seit 1969 an der Macht, der auf Vetternwirtschaft und Repression setzte. Eine städtisch geprägte Zivilgesellschaft war bestenfalls in Ansätzen vorhanden, in der Hauptstadt Tripolis und in Bengasi. Ansonsten aber ist Libyen, wie auch der Jemen, ein von Clans und Stämmen geprägtes Land.

Die Aufstandsbewegung war von den benachteiligten Provinzen im Osten ausgegangen. Nach dem Sturz Gaddafis geschah, was unter zutiefst verfeindeten Stämmen eben geschieht, wenn ein Machtvakuum zu füllen ist: Mangels einer durchsetzungsfähigen Zentralregierung kam es bald schon zu erbitterten Kämpfen zwischen rivalisierenden Stammes- und regionalen Milizen um die Macht und die Verteilung der Erdöleinnahmen, zusätzlich überlagert von gewalttätigen islamistischen Gruppen. Mord wurde zum Mittel der politischen Auseinandersetzung, die Milizen ergingen sich in Entführungen, Inhaftierungen ohne Anklage und systematischer Folter, Hinrichtungen, Löse- und Schutzgelderpressungen. Obwohl das Land nur sechs Millionen Einwohner zählt und der Erdölreichtum ausreichen würde, jedem Libyer einen Lebensstandard wie in der Schweiz zu bescheren, erweisen sich jahrhundertealte gesellschaftliche

Strukturen und Denkmuster, einschließlich der Blutrache, als stärker denn jede Vernunft.

Doch damit nicht genug. Zu Gaddafis Herrschaftssystem gehörten Milizen, darunter auch Söldnermilizen, die vor allem in der Sahelzone und dem westlichen Schwarzafrika rekrutiert wurden. Nach dessen Sturz kehrten die nunmehr arbeitslosen Söldner in ihre Heimatländer zurück, mit ihren Waffen, und suchten dort nach neuen Möglichkeiten und Bündnispartnern, um Beute zu machen. Sowohl die drastische Zunahme terroristischer Übergriffe seitens der Dschihad-Gruppierung Boko Haram in Nigeria seit 2012 wie auch der zeitgleich erfolgte Vormarsch von Tuareg-Rebellen und Dschihadisten im Norden Malis sind beide ursächlich auf diese marodierenden Ex-Söldner zurückzuführen. Darauf reagierte Frankreich 2013 mit der Entsendung von Soldaten nach Mali, in seine ehemalige Kolonie, denen es gelang, das weitere Vordringen der Rebellen in Richtung Hauptstadt zu verhindern, nicht aber, sie vollständig aus dem Norden zu vertreiben. Die Franzosen haben also geholfen, Gaddafi zu stürzen, und mussten anschließend ihre Truppen in ein weiteres Land expedieren, um den Folgewirkungen dieses Sturzes zu begegnen. Paris hat damit fürwahr «mehr Verantwortung übernommen». Und Berlin folgt dieser Linie, indem es nach den Terroranschlägen in Paris im November 2015 beschloss, Bundeswehr-Soldaten ebenfalls nach Mali zu entsenden, «aus Solidarität mit Frankreich». Ein anschauliches Beispiel politischer Verblendung.

Libyen ist ein weiteres Beispiel für die verheerenden Folgen einer westlichen Militärintervention. Zyniker mögen argumentieren, es sei nicht den Europäern oder Amerikanern anzulasten, wenn sich die Bewohner eines «befreiten» Landes anschließend selbst zerfleischen. Doch, es ist ihnen anzulasten. Der Versuch, mit militärischen Mitteln eine feudale Ordnung zwangsweise zu «demokratisieren», schafft beinahe naturgesetzlich ein Machtvakuum, das anschließend von gewalttätigen Gruppen gefüllt wird, ob mit oder ohne «Islam» im Wappen. Das Ergebnis ist stets dasselbe: Staatszerfall und Milizenherrschaft.

Kriege und Dämonen

Militäreinsätze sind dann sinnvoll, wenn sie punktuell erfolgen und Massaker verhindern helfen, so wie bei den Luftangriffen auf Stellungen des IS zugunsten der Kurden in Kobane und vor Erbil. Dieser Gleichklang der Interessen von Interventionsmacht und einer bestimmten Gruppe, einer Region oder eines Landes ist jedoch selten und zeitlich begrenzt. Viele Afghanen waren froh, als die Taliban 2001 von der Macht vertrieben wurden. Allerdings mussten sie ungläubig zur Kenntnis nehmen, dass die alten Warlords, die so viel Unheil über ihr Land gebracht hatten, nunmehr an die Macht zurückkehrten: Die Amerikaner schien das nicht weiter zu betrüben. Obgleich die USA die Taliban in Afghanistan bekämpften, sahen sie keinen Anlass, gegen deren Unterstützer in Pakistan vorzugehen, was für Afghanistan endlosen Krieg bedeutet. Viele Iraker waren erleichtert, als die Amerikaner 2003 Saddam Hussein und sein Regime stürzten. Was sie allerdings nicht wollten, war ein ausländisches Besatzungsregime. Die Amerikaner suchten zu verhindern, dass der Iran vom Sturz Saddams profitierte, was er selbstverständlich tat. Also installierten sie ein schiitisches Vasallenregime, das dennoch eng mit Teheran zusammenarbeitet und den Krieg gegen die Sunniten anheizt.

Ob Afghanistan, Irak, Libyen oder Syrien: Der Westen hat in fremde Kriege und schwelende Konflikte eingegriffen und jeweils versucht, einem Gewinner nach eigenem Gusto an die Macht zu verhelfen. Der Vorwand war stets derselbe: Die jeweiligen Herrscher, die Taliban, Saddam, Gaddafi oder Assad, seien von dämonischer Bosheit, irre, fanatisch, gefährlich und genössen so gut wie keine Unterstützung unter der eigenen Bevölkerung. In Libyen führte die militärische Einmischung von außen zum Sieg einer Aufstandsbewegung, die aus eigener Kraft nicht stark genug war, sich gegen Gaddafi durchzusetzen und anschließend die Selbstzerstörung zum Programm erhob. Der Rückfluss von Söldnern aus Libyen bewirkte eine weitere Destabilisierung der Sahelzone und schwarzafrikanischer Staaten, darunter auch Kamerun, Niger und Tschad. In Afghanistan zeichnet sich ab, dass die Taliban nach dem zumindest formellen Abzug der westlichen Besatzer wohl erneut zur stärksten politischen Kraft werden. Im Irak trieben die Amerikaner die von ihnen entmachteten Sunniten, die sich außerdem einer rachsüchtigen, schiitischen Zentralregierung gegenübersahen, geradewegs in die Hände einer Aufstandsbewegung, aus deren Reihen der «Islamische Staat» hervorging. Und ohne die Entschlossenheit der «Freunde des syrischen Volkes», Assad um jeden Preis zu stürzen, hätte der IS in Syrien niemals Fuß fassen können.

Der Weg zum Putsch

Anders verlief die Entwicklung in Ägypten. Die dortigen Militärs, seit der Unabhängigkeit 1952 die eigentlichen Machthaber im Land, erwirkten im Februar 2011 nach Massenprotesten auf dem Tahrir-Platz den Rücktritt des seit fast 30 Jahren regierenden Autokraten Husni Mubarak. Diese Massenproteste hatten allerdings, abgesehen vom kurzen Zwischenspiel einer demokratisch legitimierten Regierung, keine politische Neuordnung zur Folge, jenseits des von der Armee erbrachten Königsopfers. Es fehlte schlichtweg die soziale Basis, die sie hätte erwirken können. In allen arabischen Ländern, man kann es nicht oft genug betonen, ist die Mittelschicht zu schwach, um den Wandel zu vollziehen und ein parlamentarisches System, das mehr wäre als Fassade, mit Leben zu erfüllen. Ganz zu schweigen von gesellschaftlicher Pluralität, bis hinein in die Lebensführung des Einzelnen, und von Rechtsstaatlichkeit. Die weltoffene und jugendliche «Generation Facebook», die eine wesentliche Rolle bei der Organisation der Proteste gespielt hatte, wurde sehr schnell an den Rand gedrängt. Westlich orientierte, liberale Politiker waren jenseits einiger Mittelschichtsviertel in Kairo ohne Machtbasis, außerdem erwiesen sie sich als unfähig, persönliche Rivalitäten zurückzustellen und ein säkulares Wahlbündnis einzugehen.

Nicht nur in Ägypten, auch in den übrigen arabischen Ländern sind Parteien in der Regel reine Klientelbündnisse, die nicht aufgrund ihrer Programme, sondern in Erwartung der Wohltaten gewählt werden, die sie ihren Anhängern verheißen. Nach dem Sturz Mubaraks schlug die Stunde der Muslimbruderschaft, die 1928 in Ägypten entstanden war und den politischen Islam, soweit er nicht vom Wahhabismus vereinnahmt wurde, in der gesamten islamischen Welt maßgeblich geprägt hat. In Ägypten war sie jahrzehntelang verboten, unter Mubarak allerdings geduldet. Vor allem an den Hochschulen und in den Berufsverbänden spielt sie traditionell eine große Rolle, wobei ihre Vertreter in der Regel als «Unabhängige» oder «Parteilose» auftreten. In ihren Anfängen agierten die Muslimbrüder wider die Kolonialmächte, später gegen die Hegemonialmächte USA und Sowjetunion. Sie wenden sich gegen ungerechte Herrscher und Korruption und vertreten ein Ideal sozialer Gerechtigkeit, das für Millionen Ägypter willkommene Hilfe im Überlebenskampf bedeutet. In Ägypten, wo mehr als die Hälfte der Bevölkerung unterhalb oder am Rande der Armutsgrenze lebt und es der Staat nie als seine Aufgabe angesehen hat, auch nur ein Minimum an sozialer Gerechtigkeit anzustreben, blieb es den Muslimbrüdern vorbehalten, Suppenküchen einzurichten und Menschen in Not zu unterstützen. Kein Wunder, dass der Kandidat der Muslimbrüder, Mohammed Mursi, bei den ersten freien Präsidentschaftswahlen im Juni 2012 fast 52 Prozent der Stimmen errang.

Es war jedoch ein Pyrrhussieg. Die eigentlichen Machthaber im Hintergrund blieben weiterhin die Armee und die Unternehmerelite, beide geschäftlich eng verzahnt und einig darin, dass die Muslimbrüder lästige Emporkömmlinge darstellten. Weder die Armeeführung, die im Verlauf der letzten Jahrzehnte ein veritables Wirtschaftsimperium aufgebaut hat, das von der Lebensmittelindustrie über den Tourismussektor bis zum Immobilienbesitz in der Größenordnung ganzer Stadtteile reicht, noch deren Geschäftspartner, in der Regel schwerreiche Oligarchen, vielfach versippt und verschwägert mit der Generalität, verspürten die Neigung, die Muslimbrüder an ihren Privilegien teilhaben zu lassen. Die Strategie der Machtelite war von Anfang an klar: Mursi gegen die Wand laufen zu lassen. Zwei Tage vor seiner Wahl beschloss das von Mubarak-Getreuen dominierte Oberste Gericht, die Parlamentswahlen zum Jahreswechsel 2011/12, bei denen die Muslimbrüder deutlich gewonnen hatten, aufgrund eines angeblichen Verfahrensfehlers zu annullieren und das Parlament aufzulösen. In dem Stil ging es weiter: Mursi bekam keinen umfassenden Einblick in die Staatsfinanzen – von der Machtelite traditionell als Verschlusssache behandelt. Der Justizapparat ließ die Muslimbrüder bei fast jedem Gesetzesvorhaben auflaufen. Polizisten erschienen nicht zum Dienst, teilweise waren flächendeckend keine Sicherheitskräfte präsent. Entsprechend schnellte die Kriminalitätsrate empor. Die staatlich gelenkten Medien machten Front gegen die Muslimbrüder, vor allem wurde ihnen die Wirtschaftskrise angelastet – als ob die Armeeführung etwas von Wirtschaft verstünde, jenseits von Selbstbereicherung und Verschwendung. In der Zeit zwischen dem Sturz Mubaraks und dem Amtsantritt Mursis, innerhalb von 16 Monaten also, reduzierte die vom Militär dominierte Übergangsregierung die Devisenbestände Ägyptens von 23 Milliarden Dollar um die Hälfte. Sie hat einerseits systematisch die Staatskasse geplündert, andererseits finanzielle Wohltaten unter dem Volk verteilt, vor allem in Form von Subventionen für Brot, Benzin und Strom. Die Botschaft war klar: Die Armee liebt die Ägypter.

Die Machtelite wartete nur darauf, Mursi zu stürzen. Und die Muslimbrüder erkannten die Falle nicht. Nach Jahrzehnten in der Illegalität taten sie sich schwer damit, eine offene und transparente Politik zu betreiben. Sie sagten sich: Jetzt haben wir die Macht, und jetzt wollen wir unseren Teil des Kuchens. Ihr größter Fehler bestand darin, nicht auf diejenigen Kreise der ägyptischen Gesellschaft zuzugehen, die sie nicht gewählt hatten und das islamistische Staatsprojekt ablehnten. Anstatt sich zu öffnen, zogen sich die Muslimbrüder zunehmend auf sich selbst zurück und wirkten gleichermaßen überfordert wie inkompetent. Die völlig unrealistische Erwartungshaltung vieler Ägypter, Mursi könne ihre Lebensverhältnisse quasi über Nacht verbessern, beförderte noch die allgemeine Enttäuschung, nach Kräften geschürt von den Medien. Nachdem die Muslimbrüder eine neue Verfassung durchgepeitscht hatten, kam es im Januar 2013 erstmals zu Massenprotesten, zunächst in Kairo, dann auch an anderen Orten. Im Juni forderten Hunderttausende Demonstranten Mursis Rücktritt, am 3. Juli erklärte ihn die Armee für abgesetzt und warf ihn ebenso wie andere führende Muslimbrüder ins Gefängnis.

Stasi goes Pyramids

Daraufhin kam es zu gewalttätigen Ausschreitungen zwischen Mursi-Anhängern und Sicherheitskräften, die im August ihren blutigen Höhepunkt erreichten. Kaltblütig ließ die neue Militärführung unter ihrem Oberbefehlshaber Abd al-Fattah al-Sisi ein Protestcamp der Muslimbrüder in Kairo beschießen, wobei, je nach Quelle, 1000 bis 1500 Menschen getötet wurden. Seither eskaliert in Ägypten die Gewalt, kommt es immer wieder zu Anschlägen auf Soldaten, Politiker oder Verwaltungsgebäude, vor allem auf der Sinai-Halbinsel, wo radikale Islamisten seit Längerem schon Krieg gegen die Regierung führen. Mit diesem Krieg im nördlichen und mittleren Sinai, der sich der jahrzehntelangen Vernachlässigung der dortigen Bevölkerung durch Kairo verdankt, hatten die Muslimbrüder nichts zu tun. Aus Sicht der Putschisten waren das allerdings Feinheiten ohne Bedeutung. Im September erklärten sie die Muslimbruderschaft zu einer terroristischen Vereinigung, ließen sie verbieten und zogen ihr Vermögen ein. Fast die gesamte Führung wurde verhaftet, sofern ihre Mitglieder nicht rechtzeitig untertauchten. Gegen Hunderte nationale, regionale und lokale Führer erging die Todesstrafe, darunter auch Mohammed Mursi und Mohammed Badiyyah, der Vorsitzende der Muslimbrüder. Die sozialen Aktivitäten der Muslimbrüder, für viele Ägypter überlebensnotwendig, mussten weitgehend eingestellt werden.

Damit sind wohl endgültig die Weichen in Richtung Bürgerkrieg und Gewalt gestellt worden. Die Muslimbrüder verfügen über eine Stammwählerschaft in der Größenordnung von 35 bis 40 Prozent. Mindestens ein Drittel der Bevölkerung indirekt zu Terroristen zu erklären, zeugt von epochal zu nennender Dummheit. Die Begeisterung vieler Ägypter über das mörderische Vorgehen der Armee und ihr naiver Irrglaube, Sisi habe im Interesse des Landes gehandelt, macht die Sache nicht besser. General Sisi ließ sich zum Feldmarschall befördern und im Mai 2014 Präsidentschaftswahlen abhalten, die er, nunmehr in der Rolle des Zivilisten, mit angeblich 96,31 Prozent der Stimmen gewann – bei einer Wahlbeteiligung, die selbst nach offiziellen Angaben unter 50 Prozent lag. Trotz eindeutiger Manipulationen und der fragwürdigen Begleitumstände bezeichnete die EU-Mission, die zur Beobachtung an den Nil gereist war, diese Wahlen als «demokratisch und frei».

Seit Sisis Amtsübernahme geht die Armeeführung – respektive die Regierung, was in der Sache auf dasselbe hinausläuft – mit voller Härte gegen die Opposition vor, unter dem Deckmantel der Terrorbekämpfung. Nicht allein gegen die Muslimbrüder, sondern auch gegen Demokratieaktivisten und revoltierende Studenten. Da sich die Universitäten zu Hochburgen der Proteste gegen die Putschisten entwickelten, stehen sie im Mittelpunkt der Repressionsmaßnahmen. Regelmäßig kommt es zu Razzien, in der zweiten Jahreshälfte 2014 sind mindestens 1000 Studenten zwangsexmatrikuliert und über 1500 verhaftet worden. Die Befugnisse der Militärgerichte wurden deutlich ausgeweitet. Sie sind nunmehr auch zuständig für Meinungsdelikte, die unter verschiedenen Vorwänden, etwa «Sabotage von Bildungseinrichtungen», mit hohen Gefängnisstrafen geahndet werden. Die einheimischen Medien sind gleichgeschaltet und verbreiten das Bild einer «internationalen Verschwörung» gegen Ägypten, angeführt von den Muslimbrüdern und ausländischen Berichterstattern.

Das rigorose Vorgehen des Sisi-Regimes gegen jedwede abweichende Meinung sowie die Zementierung seiner Macht in Staat und Gesellschaft sind zugleich der Versuch, die letzten Spuren des revolutionären Aufbruchs zu beseitigen. Die Gesetzesmaßnahmen, die Sisi im Namen der Terrorbekämpfung und zur Wiederherstellung von Stabilität, wie er sie versteht, auf den Weg gebracht hat, sind selbst für ägyptische Verhältnisse beispiellos. Die Befugnisse des Sicherheitsapparates wurden in alle Bereiche der ägyptischen Gesellschaft ausgeweitet, von den Universitäten und religiösen Institutionen bis hin zur Zivilgesellschaft und dem Internet. Jede Kritik am Sisi-Regime kann mit Hilfe entsprechend zurechtgelegter Paragraphen als Hochverrat geahndet werden. Eine eigene Gesinnungspolizei ist im Entstehen, «Gemeindepolizei» geheißen, die laut ihrem Begründer Nabil al-Shahed das Ziel verfolgt, in jedem Wohnviertel Gruppen von «Eliten» zu bilden und regelmäßige Treffen zu veranstalten, in denen sie Berichte zu «verdächtigen» Aktivitäten aus der Nachbarschaft erhalten sowie über «Fremde», die dort beobachtet werden. Mit dem Ziel, aus diesen Informationen eine Datenbank für die Polizei zu erstellen.

Stasi goes Pyramids, könnte man sagen. Gleichzeitig ist das Sisi-Regime bestrebt, ausländischen Nichtregierungsorganisationen, die Demokratie und Rechtsstaatlichkeit zu stärken suchen, die Arbeit nach Kräften zu erschweren. Laut Artikel 78 des Strafgesetzbuchs, verabschiedet im September 2014, wird jeder Ägypter «mit lebenslanger Haft und einer hohen Geldbuße bestraft, der finanzielle oder anderweitige Unterstützung aus dem Ausland erhält, sofern dies in der Absicht geschieht, dadurch dem nationalen Interesse zu schaden, die nationale Einheit zu kompromittieren, die Sicherheit oder den öffentlichen Frieden zu gefährden». Die «hohe Geldbuße» wurde auf 70 000 Dollar festgesetzt, statt lebenslanger Haft kann auch die Todesstrafe verhängt werden, wenn der Verurteilte Beamter ist. Gleichzeitig können ausländische NGOs jederzeit unter Anklage gestellt oder verboten und ihr Vermögen eingezogen werden. Bereits im Juni 2013 wurden auf Betreiben der von Mubarak-Getreuen dominierten Justiz 43 Mitarbeiter ausländischer NGOs zu Gefängnisstrafen zwischen einem und fünf Jahren verurteilt, darunter auch zwei Landesvertreter der Konrad-Adenauer-Stiftung.

Human Rights Watch verweist in seinem Bericht zur Menschenrechtslage in Ägypten vom 7. November 2014 darauf, dass seit dem Putsch im Juli 2013 nach offiziellen Angaben 22 000 Ägypter verhaftet worden sind, während andere Quellen die Zahl beinahe doppelt so hoch ansetzen. Der Bericht kommt zu einem Fazit, das im Grunde nicht verwundert: «Washington, London, Paris und andere Hauptstädte haben nichts unternommen, um diese dramatische Verschlechterung der Menschenrechtslage zu verhindern.»

Größenwahn als Programm

Warum auch, denn Sisi ist pro-westlich und genießt die uneingeschränkte Unterstützung der Golfstaaten. Ägypten ist mit zwei Milliarden Dollar jährlich der weltweit größte Empfänger amerikanischer Finanzhilfen – nach Israel, wobei ein Großteil dieses Geldes für Waffeneinkäufe in den USA verwendet wird. Nach dem Putsch, den offiziell weder Washington noch Brüssel als solchen bezeichnen, hielten die Amerikaner geplante Waffenlieferungen an Ägypten für einige Monate zurück. Und damit endeten auch schon die westlichen Vorbehalte gegenüber Sisi, der seine vollständige Anerkennung im Zuge des Gaza-Krieges im Sommer 2014 erfuhr. In westlichen Hauptstädten galt Sisi auf einmal als unersetzlicher Vermittler, um die palästinensische Hamas zu einem Waffenstillstand mit Israel zu bewegen. Die Hamas ist aus der palästinensischen Muslimbruderschaft hervorgegangen und eng mit der in Ägypten verbunden. Ausgerechnet Sisi, der über 1000 Muslimbrüder erschießen ließ, ein Vermittler? Oder gerade deswegen?

Der weitere Weg Ägyptens ist abzusehen. Ein Teil der Muslimbrüder geht in den Untergrund, sofern nicht schon geschehen. Andere, deutlich radikalere islamistische Gruppen erklären dem Staat den Krieg, über den Sinai hinaus. In Mittelägypten und entlang der libyschen Grenze sind solche Gruppen bereits aktiv. Das Sisi-Regime dürfte auf jeden Terroranschlag reagieren wie gehabt, mit noch mehr Repression, was wiederum weitere Anschläge provoziert. Über kurz oder lang wird sich die Lage in Ägypten gefährlich zuspitzen, nicht zuletzt aus wirtschaftlichen Gründen. Selbst eine auf Transparenz und gute Amtsführung verpflichtete Regierung hätte Mühe, die gewaltigen sozialen Gegensätze zu verringern und marktwirtschaftliche Reformen durchzuführen, wider die herrschende Kleptokratie. Das Sisi-Regime denkt nicht daran, mittelständische Unternehmer zu fördern oder etwa im informellen Sektor Mikrokredite anzubieten, also den Millionen Tagelöhnern außerhalb der regulären Ökonomie eine Perspektive zu eröffnen, geschweige denn in das drittklassige Bildungssystem zu investieren. Sein Heil sieht es vielmehr in gigantischen Entwicklungsvorhaben, an denen vor allem die ägyptische Oberschicht und die saudischen Geldgeber sowie die Golfinvestoren verdienen. Die Rede ist von bis zu 48 neuen Städten und touristischen Zentren, dem Ausbau der Verkehrs- und Energieinfrastruktur, darunter die Erweiterung des Suezkanals, die Einrichtung von Industriezonen und Logistikzentren, dem Bau einer Hochgeschwindigkeitsbahn und der Schaffung von einer Million neuer Wohnungen.

Purer Größenwahn in einem Land, in dem die Hälfte der Bevölkerung morgens nicht weiß, ob sie abends etwas zu essen findet. Wäre Ägypten kein Staat, sondern eine Firma, wäre längst der Insolvenzverwalter am Werk. Das Land ist de facto bankrott, hat aber allein für die ersten zwei Jahre nach dem Putsch mehr als 20 Milliarden Dollar Finanzhilfen aus den Golfstaaten erhalten, vor allem aus Saudi-Arabien, teils als Darlehen, teils als Geschenk. Saudi-Arabien sieht Ägypten, wie erwähnt, als Frontstaat gegen die Muslimbruderschaft und sein finanzielles Engagement als langfristige Investition. Sollte jedoch, und davon ist auszugehen, eine wirtschaftliche Entwicklung ausbleiben, die der breiten Bevölkerung zugutekommt und sich gleichzeitig die staatliche Repression fortsetzen, sind erneute Massenproteste zu erwarten, dürfte sich der politische Widerstand zunehmend radikalisieren.

Amerikas Freunde im Nahen Osten, Ägypten, Saudi-Arabien, Kuweit und die Vereinigten Arabischen Emirate, bilden eine reaktionäre politische Allianz, die im Namen der Terrorbekämpfung jeden Ansatz demokratischen Aufbegehrens in der Region zu unterdrücken sucht: nie wieder ein arabischer Frühling. Gleichzeitig agieren sie zunehmend als Hilfssheriff, indem sie, in Absprache mit Washington, mit Luftangriffen in den libyschen Stammeskrieg intervenieren. Angeblich sollen ägyptische Truppen bereitstehen, um gegebenenfalls den Osten Libyens zumindest vorübergehend zu besetzen – in der Absicht, das Vordringen radikaler Islamisten und den Waffenschmuggel zu unterbinden.

Heilige Allianzen

Ein solches Bündnis von Monarchen und Militärmachthabern erinnert an das Vorgehen europäischer Despotien im 19. Jahrhundert, die alles daransetzten, die Errungenschaften der Französischen Revolution ungeschehen zu machen. Diesem Ziel diente der Wiener Kongress von 1815, der auf die Niederschlagung liberaler Bewegungen abzielte. Ebenso die «Heilige Allianz» von Österreich, Preußen und Russland, um Napoleons imperialen Bestrebungen zu begegnen und republikanische Ideen in der eigenen Bevölkerung zu bekämpfen. Diese Allianz wirkte jahrzehntelang als feudalstaatliches Bollwerk und schlug erfolgreich die europäischen Revolutionen von 1848/49 nieder. Doch ungeachtet der breiten Blutspur, die sie hinterließ, und dem Fortwirken repressiver, autoritärer Regime über Generationen hinweg konnten die rückwärtsgewandten Monarchien den Lauf der Geschichte nicht aufhalten und wurden schließlich hinweggefegt.

Vor diesem Hintergrund erscheint es unwahrscheinlich, dass die heutige «Heilige Allianz» zwischen Sisi und den Golfmonarchien die Sehnsucht nach demokratischem Wandel dauerhaft wird aufhalten können. Die Wechselwirkung aus demographischem Druck, dem absehbaren Ende der aus Erdöleinnahmen gespeisten Rentenökonomie und regionalen Instabilitäten schafft neue Fakten, denen sich auch die alte Feudalgarde nicht entziehen kann. Die Amerikaner haben sich wie auch die Europäer auf die Seite der Reaktionäre gestellt, indem sie den Putsch gegen die Muslimbrüder im bevölkerungsreichsten, geschichtsträchtigsten und kulturell prägenden arabischen Land stillschweigend akzeptiert haben.

Diese Parteinahme beruht nicht zuletzt auf der Annahme, sie würde freiheitliche und liberale Werte gegenüber den Muslimbrüdern verteidigen. Das wirkt allein deswegen schon befremdlich, weil bislang weder Saudi-Arabien noch das Sisi-Regime als Verteidiger dieser Werte aufgefallen sind. In Wirklichkeit geht es selbstverständlich nicht um Werte, sondern um die Beibehaltung eines Status quo, der Washington und den Europäern nützlich erscheint. Shadi Hamid von der Denkfabrik Brookings Institution hat es treffend formuliert: «In Washington glaubt man, dass sich die religiösen Überzeugungen von Islamisten nicht vereinbaren ließen mit der Respektierung von Demokratie, Pluralismus und Frauenrechten. Vor allem aber sorgen sich die Vereinigten Staaten um die außenpolitischen Bestrebungen solcher Gruppierungen. Anders als die pro-westlichen Autokratien im Nahen Osten haben Islamisten bestimmte, wenngleich vage Vorstellungen von einer arabischen Welt, die von Selbstbewusstsein und Unabhängigkeitsstreben künden. Außerdem geben sie zu verstehen, dass ihre Agenda nicht notwendigerweise an Landesgrenzen Halt macht.»

Die Bandbreite des Islamismus ist groß, sie reicht von Al-Qaida bis zum türkischen Präsidenten Erdoğan. In der hiesigen Wahrnehmung aber, die überlagert wird von Islamophobie und der Neigung, politische Probleme im Orient wie auch unter muslimischen Einwanderern grundsätzlich im Koran zu verorten, fehlt es an Differenzierungen. Hinzu kommt, dass vor allem in Europa, weniger in den USA, der Verbindung von Religion und Politik generell mit größtem Misstrauen begegnet wird. Überwiegend aus guten Gründen, die allerdings an den Realitäten in der arabisch-islamischen Welt nichts ändern. Was im Westen missfällt, muss nicht unbedingt auch im Orient missfallen. Zum einen sind die Menschen dort grundsätzlich sehr viel religiöser eingestellt als etwa im protestantischen Teil Europas, zum anderen bietet der Islam den größten gemeinsamen Nenner von Oppositionsbewegungen in einem repressiven Umfeld. Säkulare Bewegungen können sich erst im Kontext einer Industriegesellschaft durchsetzen, in der arabisch-islamischen Welt dominieren aber feudalstaatliche Elemente. Anders gesagt: Eine Protestpartei oder Bewegung, die sich nicht auf den vorherrschenden Bezugsrahmen von Identität und Glauben bezieht, die nicht erkennbar «islamisch» verwurzelt ist, schafft es niemals an die Macht.

Reformation! Aufklärung!

Wer nun einwendet, die islamische Welt habe Reformation und Aufklärung nicht durchlaufen, deswegen könne es dort auch mit Demokratie und Moderne nichts werden, geht unausgesprochen davon aus, dass sich Geschichte in Kopie wiederhole. Das ist nicht der Fall, historische Prozesse verlaufen nicht naturgesetzlich. Die Erfahrungen Europas müssen nicht notwendigerweise anderen Kulturen als Abziehbild dienen. Dass die Verbindung von Religion und Politik wenig Gutes hervorgebracht hat, weiß niemand besser als gebildete Muslime. Insbesondere die Mittelschichten muss man davon nicht überzeugen. Dennoch sind nicht Reformation und Aufklärung das entscheidende Kriterium für gesellschaftliche Entwicklung und Pluralität, sondern Rechtsstaatlichkeit. Ob die nun religiös oder säkular begründet wird, ist zweitrangig. Das westliche Beharren auf Reformation und Aufklärung zeugt von Selbsterhöhung und übersieht, dass beispielsweise auch der Konfuzianismus weder Reformation noch Aufklärung durchlaufen hat. Trotzdem ist China heute auf bestem Weg zur Weltmacht. Offenbar ist nicht einmal Rechtsstaatlichkeit Voraussetzung für wirtschaftlichen Erfolg, aber das ist ein anderes Thema.

Vereinfacht gesagt stehen sich heute zwei große islamistische Strömungen gegenüber. Einerseits die aus der ägyptischen Muslimbruderschaft hervorgegangenen oder von ihr inspirierten politischen Bewegungen, deren Spektrum von der türkischen Regierungspartei AKP, das Kürzel steht für Gerechtigkeit und Aufschwung, bis hin zur palästinensischen Hamas reicht. Andererseits jene Strömungen, die sich dem saudischen Wahhabismus verdanken und meist terroristischer Couleur sind, als jüngste Ausgeburt der «Islamische Staat». Obwohl der Wahhabismus sehr viel Unheil angerichtet hat, steht er selten am Pranger. Umso mehr die Muslimbrüder, was nicht zuletzt an der Hamas liegt, die im Westen einer an Manie grenzenden Dämonisierung unterliegt. Sie ist, ebenso wie die schiitische Hisbollah im Libanon, als Reaktion auf die israelische Besatzung entstanden. In den 1970er Jahren erlebte die Muslimbruderschaft einen großen Aufschwung, weil sie gegen die wachsende soziale Schieflage in der arabischen Welt anging und vor allem nicht müde wurde, die Machtkonzentration in den Händen einiger Clans und ihrer Sicherheitsapparate zu geißeln. In Ägypten und Syrien ging ein Teil der Muslimbrüder daraufhin in den Untergrund und bekämpfte die Machthaber gewaltsam, was in beiden Fällen ihre brutale Unterdrückung zur Folge hatte.

Wer den Wahhabismus, Al-Qaida oder den «Islamischen Staat» geschwächt sehen möchte, tut gut daran, in den Muslimbrüdern eine Alternative zu erkennen. Wie in jeder Massenbewegung gibt es auch in deren Reihen Gemäßigte, Pragmatiker, Hardliner, Ideologen. Die Muslimbrüder sind politisch einen weiten Weg gegangen, der sie aus dem Untergrund bis in höchste Regierungsämter brachte. So unterschiedlich sie von Land zu Land sind, so fragwürdig ihre Entscheidungen im Einzelnen sein mögen und so inkompetent sie oft genug anmuten – pragmatisch sind sie durchaus. Einen rigorosen Gottesstaat wie in Saudi-Arabien oder im Iran streben sie nicht an. Dennoch hat ihr Wahlsieg in Ägypten viele nichtislamistische Gegner mobilisiert, die mit ihrer Regierungsführung nicht einverstanden waren. Alle islamischen Gesellschaften stehen vor der Herausforderung, für sich selbst die Frage zu beantworten: Wie viel und welchen Islam wollen wir? In der Politik, im Alltag? Die Tragik des Militärputsches in Ägypten liegt darin, dass er diese schmerzhafte, aber dringend erforderliche Übung in Demokratie beendet und die Diktatur wiedereingeführt hat. Die

Generäle haben die Frage auf ihre Weise beantwortet und damit eine Gewaltspirale ausgelöst, die erst an ihrem Anfang steht.

Tunesien als Vorbild

Den besseren, den konstruktiven Weg ist Tunesien gegangen. Dort, wo die arabische Revolte im Dezember 2010 ihren Anfang genommen hatte, zog die Ennahda- (Renaissance-) Partei, die tunesische Variante der Muslimbrüder, im Oktober 2011 als stärkste Fraktion in die gewählte Verfassungsversammlung ein, die gleichzeitig als Übergangsregierung diente. In der Folgezeit kam es auch in Tunesien zu teilweise schweren Ausschreitungen und politisch motivierter Gewalt, die vor allem auf das Konto radikaler Salafisten gingen, darunter die Ermordung zweier liberaler Oppositionspolitiker 2013.

Die Ennahda-Partei unter Führung von Rashid al-Ghannouchi, der immer wieder vorgehalten wurde, nicht entschieden genug gegen die salafistische Bedrohung vorzugehen, hat die im Januar 2014 ratifizierte Verfassung, die fortschrittlichste in der arabisch-islamischen Welt, maßgeblich mitgetragen. Ausdrücklich beruft sie sich auf die Allgemeine Erklärung der Menschenrechte als eine ihrer Säulen, ebenso auf einen offenen wie toleranten Islam. Die Verfassung garantiert allen Bürgern Glaubensfreiheit. Das islamische Recht, die Scharia, wurde bewusst nicht als Rechtsquelle oder Grundlage der Gesetzgebung benannt, stattdessen wurden die Trennung von Staat und Religion festgeschrieben und die Rechte der Frau gestärkt. Nicht zuletzt als Reaktion auf die Ermordung der beiden Oppositionspolitiker wurde das unter Salafisten und Dschihadisten so beliebte *takfir* («jemanden für ungläubig erklären» und damit zum Abschuss freigeben) als verbrecherisch gebrandmarkt und unter Strafe gestellt.

Ghannouchi, der 1981 die Ennahda-Partei mitbegründete und lange im Londoner Exil lebte, gilt als einer der profiliertesten islamischen Denker. 2012 zählte ihn das US-Magazin «Time» zu den 100 einflussreichsten Personen der Welt. «Foreign Policy», die maßgebliche Fachzeitschrift amerikanischer Außenpolitik, rechnete ihn zu den 100 wichtigsten globalen Denkern. Immer wieder hat sich Ghannouchi in Reden und Veröffentlichungen mit der Frage auseinandergesetzt, wie Islam, Freiheit, Demokratie und Moderne zu versöhnen seien. Schon vor dem Wahlsieg der Ennahda-Partei 2011 hat er klargestellt, dass eine politische Mehrheit allein nicht ausreiche, den demokratischen Übergang erfolgreich zu gestalten. Vielmehr bedürfe es dafür einer breiten Koalition aller gesellschaftlichen Kräfte. Diese Haltung, die sich deutlich von der Mohammed Mursis und der Muslimbrüder in Ägypten unterscheidet, war Voraussetzung für die Verabschiedung der neuen Verfassung und den politischen Neuanfang. Der Pragmatismus der Ennahda-Partei zeigt sich auch darin, dass sie bei der Wahlkampagne 2011 Fragen nationaler und religiöser Identität in den Vordergrund rückte, vor den Parlamentswahlen im Oktober 2014 hingegen auf soziale und wirtschaftliche Fragen setzte, für die sich die Tunesier angesichts ihrer schwierigen Lebensverhältnisse deutlich mehr interessieren.

Dennoch verlor die Ennahda-Partei die Wahlen. Stärkste Kraft wurde die Partei Nida Tunis, Ruf Tunesiens, die sich als Partei der Mitte darstellt und vor allem die liberale Mittelschicht anspricht. In ihren Reihen finden sich ehemalige Funktionäre des 2011 gestürzten Regimes ebenso wie führende Gewerkschafter, linksliberale Intellektuelle und Wirtschaftsvertreter. Ob diese neu gegründete Partei tatsächlich für Aufbruch steht oder lediglich für die Rückkehr der alten Riege durch die Hintertür, bleibt abzuwarten. Doch haben die Tunesier einen Modus gefunden, sich der Frage nach der Rolle von Religion in Staat und Gesellschaft konstruktiv zu stellen. Zugute kam ihnen dabei, dass ihr Land über eine gut verwurzelte Zivilgesellschaft und eine ausgesprochen starke Gewerkschaftsbewegung verfügt, was beides in Ägypten nicht der Fall ist. Nicht zuletzt ist das Bildungsniveau deutlich höher, sind die sozialen Gegensätze nicht so extrem. Vor allem aber ist die Armee zu klein und zu schwach, stellt sie, anders als in Ägypten, keinen Staat im Staate dar und wäre daher schlichtweg nicht in der Lage, selbst wenn ihre Generalität das wollte, sich an die Macht zu putschen.

Dennoch, Tunesien, die – mit Abstrichen – einzige Erfolgsgeschichte der arabischen Revolte, steht weiterhin vor gewaltigen Herausforderungen. Die Wirtschaftslage ist prekär, im Süden des Landes kommt es häufig zu Gefechten zwischen Sicherheitskräften und Dschihadisten, die aus Libyen und Algerien einsickern. Wiederholte Terroranschläge, unter anderem in Tunis und Sousse, wollen vor allem den Tourismus zum Erliegen bringen. Die meisten ausländischen Kämpfer in den Reihen des «Islamischen Staates», etwa 3000, stammen aus Tunesien.

Und hier nun schließt sich der Kreis. Westliche Politik begeht einen großen Fehler, indem sie den Wahhabismus gewähren lässt, die Muslimbrüder hingegen als Bedrohung sieht. Richtig wäre es andersherum. Der zweite große Fehler besteht in der irrigen Annahme, eine «sunnitische Koalition» der Golfstaaten und der Türkei wäre in der Lage, den «Islamischen Staat» zu besiegen. Das kann nicht gelingen, weil die Golfmonarchen jenseits ihrer Klientel über keinerlei Glaubwürdigkeit verfügen und nicht allein unter radikalen, sondern auch unter vielen gemäßigten Sunniten Abscheu erregen. Überdies sind die Golfmonarchen untereinander zerstritten. Katar hat die Muslimbrüder in Ägypten ebenso unterstützt wie Ankara und wird deswegen von Saudi-Arabien nach Kräften isoliert. Somit werden «gemäßigte» Monarchen ihre radikalen Glaubensbrüder nicht besiegen, vielmehr laufen Washington und die Europäer Gefahr, in einen Krieg der Golfstaaten gegen die Schiiten im Irak und im Iran hineingezogen zu werden.

Um dem «Islamischen Staat» wirksam militärisch entgegenzutreten, nämlich mit lokalen Bodentruppen, braucht es die syrische Armee, die längst wie eine Miliz agiert. Sie allein ist in der Lage, dessen Guerillaverbände zu bekämpfen. Dafür müssten westliche Regierungen allerdings über ihren Schatten springen und ihre Differenzen mit dem Assad-Regime beilegen oder wenigstens doch vertagen. Gleichzeitig den IS und Damaskus ins Visier zu nehmen, ist abwegig. Umso mehr, als nichts darauf hindeutet, dass dieses Regime in den nächsten Jahren fallen könnte. Selbst wenn Baschar al-Assad Opfer eines Anschlags werden sollte, bliebe die alte Machtelite bestehen. Eine Kursänderung aus Einsicht in gegebene Realitäten würde auch erlauben, Russland und China in den Kampf gegen den IS einzubeziehen, woran Washington bislang wenig Interesse zeigt.

Regimewechsel im Iran?

Bleibt die Frage, wie es die USA mit dem Iran halten. Zur Erinnerung: Die Regierung Clinton verfolgte seit 1993 eine Politik des «Dual Containment», der zweifachen Eindämmung, nämlich von Irak und Iran. Dieses Konzept ging maßgeblich auf das Wirken der Israel-Lobby in Washington zurück – zu einer Zeit, als das iranische Atomprojekt noch keine Rolle spielte. Der Iran entwickelte sich frühzeitig zu einer israelischen Obsession, was auch mit der Unterstützung Teherans für die Hisbollah zu tun hatte. Sie sollte sich in den Jahren der israelischen Besetzung Südlibanons (1982–2000) als starker militärischer Gegner erweisen, deren Widerstand schließlich zum bedingungslosen Abzug der israelischen Truppen führte. Die Grundsatzstrategie im Umgang mit dem Iran legten Israel und AIPAC (die Abkürzung steht für Amerikanisch-Israelisches Komitee für öffentliche Angelegenheiten), die größte Lobbyorganisation Israels in Washington, bereits im April 1995 vor, unter dem Titel «Comprehensive U. S. Sanctions Against Iran: A Plan for Action». Ein Plädoyer also für umfassende US-Sanktionen gegen den Iran.

In ihrer detaillierten Untersuchung über *Die Israel Lobby. Wie die amerikanische Außenpolitik beeinflusst wird* (Frankfurt 2007) weisen die amerikanischen Politologen John Mearsheimer und Stephen Walt nach, dass AIPAC zwei geostrategische Ziele verfolgt: Den Iran politisch und wirtschaftlich zu isolieren und die Gründung eines palästinensischen Staates zu verhindern. In beiden Fällen mit großem Erfolg. AIPAC ist bestens vernetzt in der amerikanischen Politik, namentlich im Kongress, und nimmt großen Einfluss auf die Verteilung von Spendengeldern im Wahlkampf.

«Diese Politik half natürlich, das Klima zwischen Teheran und Washington zu vergiften, was wiederum den politischen Einfluss der iranischen Hardliner stärkte, die ihren neuen, gemäßigteren Staatschef ablehnten», so Mearsheimer und Walt. Die Versuche des iranischen Reformpräsidenten Chatami (1997–2005), die angespannten Beziehungen mit den USA zu normalisieren, liefen entsprechend ins Leere. Erst recht, als sich die Regierung Bush nach den Anschlägen vom 11. September 2001 vom Dual-Containment-Konzept verabschiedete und stattdessen eine Strategie der regionalen Transformation verfolgte, womit der Regimewechsel im Irak und im Iran gemeint war.

Nachdem Präsident Bush den Iran 2002 auf der «Achse des Bösen» verortet hatte, erschienen 2003 «gleich reihenweise Artikel von prominenten Neokonservativen – im Wesentlichen dieselben Leute, die den Irakkrieg befürwortet hatten –, die nun gegen den Iran mobil machten (...) Michael Ledeen, einer der führenden Hardliner in der Auseinandersetzung mit dem Iran, schrieb (...): ‹Wir haben keine Zeit für diplomatische ‹Lösungen›. Wir müssen uns die Förderer des Terrors vornehmen, hier und jetzt (...)›.» In diese Zeit fielen auch die ersten Schritte, gegenüber dem Iran mehr Härte zu zeigen wegen seines Atomprogramms. «Israel und die Lobby haben mit erstaunlichem Erfolg Bush und andere führende US-Politiker davon überzeugt, dass der Iran als Atommacht eine nicht hinnehmbare Bedrohung für Israel darstellen würde und die Vereinigten Staaten verpflichtet seien, zu verhindern, dass diese Bedrohung wächst.» Soweit Mearsheimer und Walt. Die Regierung Bush verschärfte die Wirtschaftssanktionen und drohte mit Militärschlägen, falls der Iran seine atomaren Aktivitäten fortsetze. Parallel entwarf das Pentagon Szenarien für Angriffe auf den Iran, bei denen größtenteils dieselben Leute federführend waren, die schon den Krieg gegen den Irak geplant hatten, stets in enger Zusammenarbeit mit israelischen Beratern. Ungeachtet des massiven Drucks Israels und seiner Lobby, den Iran anzugreifen, widerstand Präsident Bush dieser Versuchung – das militärische Desaster im Irak war allzu offenkundig, und eine Wiederholung verbot sich von selbst.

Die Wahl des Hardliners Mahmud Ahmadinedschad zum iranischen Präsidenten (2005–2013) war Wasser auf die Mühlen der Hardliner in Israel und den USA. Seine antiisraelische Rhetorik galt als Beleg dafür, dass ein nuklear bewaffneter Iran eine existentielle Bedrohung für den jüdischen Staat darstelle. Nachdem der Iran zunächst versucht hatte, sich die Infrastruktur für den Bau einer Atombombe zuzulegen, stellte er die entsprechenden Bemühungen 2003 ein. Zweimal, 2007 und 2011, bescheinigte der «National Intelligence Estimate», eine jährlich im November erstellte Zusammenfassung der wichtigen Erkenntnisse von 16 US-Geheimdiensten, dass die Führung in Teheran nicht nach der Atombombe strebe. (Zu den Einzelheiten des Atomstreits siehe auch *Iran: Der falsche Krieg*, München 2012, vom Autor dieses Buches.) Dennoch wurden die seit 2003 geführten Nuklearverhandlungen mit dem Iran nunmehr zu einem Politikum, aus dem zeitweise ein Krieg zu erwachsen drohte.

Vordergründig ging es dabei um die Frage, ob der Iran das Recht auf Urananreicherung habe oder nicht und inwieweit jeder Versuch, etwa spaltbares Material für den Bau einer Atombombe abzuzweigen, wirksam zu unterbinden sei. Die Verhandlungen wurden zunächst, im Auftrag Washingtons, von Großbritannien, Frankreich und Deutschland mit Teheran geführt, später um die USA, Russland und China erweitert. Moskau und Peking beteiligten sich eher pro forma. Eine Isolierung Teherans lag allerdings auch in ihrem Interesse, weil sie dadurch billiger iranisches Erdöl einkaufen konnten.

Nüchtern besehen waren die Atomverhandlungen ein Mittel zum Zweck, um den einzigen nicht pro-westlichen Akteur von Bedeutung im weiten Raum zwischen Marokko und Indonesien wirtschaftlich in die Knie zu zwingen, idealerweise einen Regimewechsel herbeizuführen. Der Ägypter Mohammed el-Baradei, von 1997 bis 2009 Generaldirektor der Internationalen Atomenergiebehörde IAEA mit Sitz in Wien, beschreibt in seiner politischen Autobiographie *Wächter der Apokalypse. Ein Kampf für eine Welt ohne Atomwaffen* (Frankfurt 2011) anhand zahlreicher Beispiele, wie es mehrfach fast zu einer Einigung im Atomstreit gekommen wäre, was Washington dann jeweils im letzten Moment torpedierte.

Parallel wurden die Wirtschaftssanktionen gegenüber Teheran systematisch verschärft, unter Verweis auf das Atomprogramm, manchmal auch auf die iranische Unterstützung von «Terrororganisationen», wie die westliche Sprachregelung für Hisbollah und Hamas lautet. Den Höhepunkt der Sanktionsspirale stellte der amerikanische «Iran Threat Reduction and Syria Human Rights Act» aus dem Jahr 2012 dar, ein «Gesetz zur Verminderung der vom Iran ausgehenden Gefahr und zu den Menschenrechten in Syrien». Darin wurde der Export iranischen Erdöls in den Westen so starken Beschränkungen unterworfen, dass sich sein Volumen innerhalb von nur einem Jahr fast halbierte. Allerdings sprangen Russland, China und Indien in die Lücke und halfen, sie weitgehend wieder zu schließen. Nicht der Export stellte für den Iran das eigentliche Problem dar, sondern die marode Infrastruktur der Ölindustrie, die aufgrund der zahlreichen Boykottmaßnahmen seit 1979 nicht modernisiert werden konnte.

Nichtamerikanische Unternehmen, die in Schlüsselindustrien oder wichtigen Wirtschaftszweigen jenseits vergleichsweise geringer Summen mit dem Iran Geschäfte machten, waren schon seit Langem vom US-Markt ausgeschlossen worden. Da die Vereinigten Staaten der ungleich wichtigere Markt sind, hatten sich viele europäische Firmen vorsichtshalber ganz aus dem Iran-Geschäft zurückgezogen. Es ist bezeichnend, dass 120 amerikanische Großunternehmen, darunter Apple und Microsoft, mit Billigung Washingtons ohne jede Einschränkung Geschäfte mit dem Iran tätigen durften, ungeachtet des verschärften Sanktionsgesetzes von 2012. Diese vom Gesetzgeber gebilligten Ausnahmen sicherten also gleichzeitig amerikanischen Firmen einen Wettbewerbsvorteil.

Ein Ende der Sanktionen?

Sehr viel schwerwiegender war, dass iranische Banken durch besagtes Gesetz vom internationalen Zahlungsverkehr ausgeschlossen wurden – ein absolutes Novum in der Geschichte westlicher Sanktionspolitik. Das bedeutete, dass keine Auslandsüberweisungen mehr aus dem oder in den Iran getätigt werden konnten, sofern sie über das maßgebliche SWIFT-System erfolgten. Die von den USA verhängten oder auf Drängen Washingtons über die Vereinten Nationen erwirkten Boykottmaßnahmen, denen die Europäische Union uneingeschränkt folgte, waren dermaßen weitreichend, dass sich ihre Zielsetzung ganz offenkundig nicht allein darauf beschränkte, iranisches Wohlverhalten bei den Atomverhandlungen zu erwirken.

2011/12 trat der Atomkonflikt mit dem Iran in seine gefährlichste Phase ein. Mit Blick auf die US-Präsidentschaftswahlen im November 2012 setzten die israelische Regierung unter Premier Benjamin Netanjahu und die Israel-Lobby alles daran, die USA in einen Krieg gegen den Iran zu drängen. Angeblich stand das Land kurz davor, über genügend angereichertes Uran zu verfügen, um eine Atombombe zu bauen. Da sich die Obama-Administration entschlossen zeigte, ihr militärisches Engagement im Irak und in Afghanistan abzuwickeln, und ein Angriff auf den Iran das Potential hätte, den gesamten Nahen und Mittleren Osten in Brand zu setzen, zeigte sie sich in dieser Frage sehr zurückhaltend, ungeachtet der rhetorischen Dauerfloskel, es lägen «alle Optionen auf dem Tisch». Um Washington unter Druck zu setzen, erweckte die Regierung Netanjahu den Eindruck, sie könne jederzeit im Alleingang die Atomanlagen Irans bombardieren – wohl wissend, dass Präsident Obama in dem Fall kaum eine andere Wahl gehabt hätte, als sich auf die Seite des US-Verbündeten zu stellen. Erst im September 2012, nach monatelangem zähen Ringen, schien die Gefahr gebannt, hatte Washington schlussendlich klargestellt, dass man Israel im Falle eines militärischen Alleingangs nicht beistehen werde. Auch innerhalb des israelischen Sicherheitsestablishments mehrten sich die kritischen Stimmen, die vor den unabsehbaren Folgen eines Angriffs warnten. Im Gegenzug erhielt Tel Aviv zusätzliche Kredite und Zuwendungen in Milliardenhöhe sowie neueste Waffensysteme, darunter «Iron Dome», ein elektronisches Flaksystem zum Raketenabschuss.

Die Wiederwahl Präsident Obamas 2012 und die Wahl des Reformers Hassan Rohani zum Präsidenten Irans 2013 leiteten eine neue Verhandlungsrunde im Atomstreit ein, von iranischer Seite in der Absicht geführt, ihn endgültig beizulegen und ein Ende der Sanktionen zu erwirken. Auch auf Seiten der Regierung Obama bestand ernsthaftes Interesse an einem Durchbruch, der im Juli 2015 tatsächlich gelang. Das von den fünf Veto-Mächten in UN-Sicherheitsrat und Deutschland geschlossene Atomabkommen sieht vor, dass die gegen Teheran gerichteten Wirtschaftssanktionen sukzessive aufgehoben werden, sofern die Internationale Atomenergiebehörde IAEA bestätigt, dass der Iran die auf 100 Seiten festgehaltenen Bestimmungen erfüllt. Deren Berichte von 2016 und vom Februar 2017 kommen zu dem Ergebnis, dass der Iran, ungeachtet kleinerer Unstimmigkeiten, den Vertrag eingehalten hat. Dennoch sind die Sanktionen vor allem im Bankensektor von den USA bis Mitte 2017 nicht aufgehoben worden. Die Regierung Trump hat klargestellt, dass sie das Atomabkommen für das Schlechteste halte, dem Washington je zugestimmt habe. Vor allem in den Reihen der Republikaner und der Israel-Lobby gibt es noch immer viel Sympathien für eine militärische Lösung im Umgang mit Teheran. Niemand glaube, die

Neokonservativen hätten aus ihren Fehlern gelernt oder Israels Ultranationalisten wären geneigt, sich mit der Islamischen Republik ins Benehmen zu setzen.

Die einseitige Ausrichtung westlicher Politik auf die Interessen und Vorstellungen Israels steht nicht allein Pate beim Atomkonflikt mit dem Iran. Sie hat folgenreiche Auswirkungen auch im Kontext der ungelösten Palästinafrage, in der sich Washington, Brüssel wie auch Berlin fast ohne Wenn und Aber auf die Seite Israels gestellt haben. Das Schicksal der Palästinenser, das im Westen weitgehend verdrängt oder als selbstverschuldet angesehen wird, trägt maßgeblich zu der anti-westlichen Haltung im Orient und darüber hinaus bei. Vor allem, weil sich die westliche Selbstwahrnehmung, die eigene Politik stünde für Freiheit, Demokratie und Menschenrechte nur in wenigen Bereichen internationaler Politik als so offenkundig verlogen und heuchlerisch offenbart wie im Umgang mit Israel – jedenfalls aus der Sicht nichtwestlicher Beobachter und Akteure.

Freibrief für Israel? Der Gazakrieg 2014

Längst ist der Konflikt zwischen Israelis und Palästinensern auch ein Kampf um Deutungshoheit – wer hat das moralische Recht auf seiner Seite? In der westlichen, vor allem auch der deutschen Wahrnehmung, gilt Israel als einzige Demokratie im Nahen Osten, dauerhaft bedroht von Fanatismus und Gewalt. Dieses Bild hat allerdings Risse bekommen: Allein während des 50-tägigen Krieges im Gazastreifen sind im Juli und August 2014 rund 2200 Palästinenser getötet worden, die meisten von ihnen Zivilisten, darunter fast 500 Kinder. Auf israelischer Seite starben 71 Menschen, darunter sechs Zivilisten. Die Zahlen bereits sprechen für sich – ungeachtet der Tatsache, dass jeder Tote einer zu viel ist. Dennoch stand für Bundeskanzlerin Merkel das Urteil sofort fest: Israel verteidige sich gegen den Terror der Hamas. Fast wortgleiche Erklärungen hat sie zu den Gaza-Kriegen 2008/09 und 2012 abgegeben wie auch zum israelischen Angriff auf den Libanon 2006, nur war der Terrorpate in dem Fall die Hisbollah. Seit April 2006 hat die israelische Armee mehr als 7500 Libanesen und Palästinenser getötet, mehrheitlich Zivilisten, was in westlichen Staatskanzleien offenbar als legitime Selbstverteidigung gilt.

Weder in Berlin noch in Brüssel, geschweige denn in Washington, hat man je Anlass gesehen, Israel auf die Normen internationalen Rechts zu verpflichten. Mehr als mahnende Appelle, sich bei Militäreinsätzen nach Möglichkeit «zurückzuhalten», und gelegentliche Verweise, dass die Siedlungspolitik dem Frieden nicht dienlich sei, hatte keine israelische Regierung seit 1967 je zu befürchten. Die systematische Entrechtung der Palästinenser in den seit dem Sechstagekrieg besetzten Gebieten, die anhaltende Inbesitznahme ihres Landes, die katastrophalen Lebensbedingungen im Gazastreifen – westliche Politik hält fest an der Fiktion eines «Friedensprozesses», der allerdings Tel Aviv lediglich als Fassade dient, noch mehr Siedlungen zu bauen und damit weiterhin Fakten zu schaffen. Der Gazastreifen gilt nach internationalem Recht auch weiterhin als besetztes Gebiet, ungeachtet des israelischen Abzugs 2005, weil Israel alle Zugänge zur Luft, zur See und auf dem Landweg kontrolliert, in Kooperation mit Ägypten auch den über Rafah in den Sinai. Nach Angaben der Vereinten Nationen ist der Gazastreifen 2020 nicht mehr bewohnbar, aus Mangel an Infrastruktur für die 1,8 Millionen Bewohner, aufgrund der Kriegsschäden, infolge fehlender Ressourcen. Müssten irgendwo auf der Welt Menschen jüdischen Glaubens unter ähnlichen Bedingungen leben wie Palästinenser unter israelischer Besatzung, würden sie Vergleichbares durchleiden wie die Bewohner des Gazastreifens im Sommer 2014, gäbe es einen Aufschrei des Entsetzens in westlicher Politik und Publizistik. So aber heißt es lediglich: Die Hamas habe den Krieg provoziert und sich anschließend einem Waffenstillstand verweigert. Eine kühne These, aber mehrheitsfähig, wenngleich die Kluft zwischen der veröffentlichten und der öffentlichen Meinung zum Thema Israel/Palästina zunehmend größer wird.

Schuld und Sühne

Die einseitige Parteinahme für Israel hat Folgen. Sie entwertet Begriffe wie Demokratie und Menschenrechte im Orient, die als Synonyme gelten für Heuchelei und Doppelmoral. Sie schwächt die Gemäßigten unter den Arabern, sie stärkt islamistische Bewegungen und sie trägt bei zur Radikalisierung der Straße, nicht zuletzt unter muslimischen Einwanderern. Vielen Europäern fällt es schwer sich vorzustellen, welche Emotionen das israelische Vorgehen gegenüber den Palästinensern auslöst, außerhalb der westlichen Hemisphäre. Wir mögen den seit Jahrzehnten gewährten Freibrief für Israel in Ordnung finden, andere tun das nicht. In Deutschland sind Begriffe wie «Staatsräson» oder «besondere historische Verantwortung» prägend, um die unkritische Haltung Berlins gegenüber Israel zu begründen. Eine öffentliche Debatte darüber, was mit solchen Wendungen konkret gemeint sein könnte, findet nicht statt, hat es auch nie gegeben. Sie wirken eher wie ein Mantra. Das Schuldgefühl aufgrund des von Deutschen zu verantwortenden Massenmordes an sechs Millionen Juden hat offenbar einen Mainstream geprägt, dem eine Glaubensgewissheit zugrunde liegt: Die richtige Lehre aus der jüngeren deutschen Geschichte ziehe, wer gegenüber Israel Nibelungentreue beweist. Wo dennoch verhaltene Kritik geübt wird, in der Politik wie auch in der Publizistik, bleibt sie meist an der Oberfläche oder flüchtet sich ins Menschlich-Tragische. Dann ist etwa die Rede vom «unversöhnlichen Hass» auf beiden Seiten, der israelischen wie der palästinensischen, oder einem «unlösbaren Konflikt», sofern er nicht gleich als «biblisch» gehandelt wird. Der eigentliche Kern bleibt in aller Regel ungenannt. Weder wird die gezielte Vertreibung von rund der Hälfte der palästinensischen Bevölkerung im Zuge der israelischen Staatsgründung angesprochen noch der anhaltende und systematische Siedlungskolonialismus in den 1967 eroberten palästinensischen Gebieten.

In diesem Konflikt gibt es keinen Gleichstand der Waffen. Israel ist eine der stärksten Militärmächte der Welt und die bei Weitem stärkste im Nahen und Mittleren Osten. Atommacht ist das Land außerdem, ohne jedoch verpflichtet zu werden, anders als der Iran, sein Arsenal unter internationale Kontrolle zu stellen. Gleichwohl überwiegt im Westen die Wahrnehmung, Israel befände sich in einem ständigen Überlebenskampf, bedroht von Palästinensern, Arabern, Teheran. Die Hamas gilt als Inbegriff von Fanatismus und Terror schlechthin. Der anwachsende Rechtsextremismus in der israelischen Gesellschaft, der gewalttätige Hass gegenüber Arabern, er wird durchaus registriert, in den Medien auch sachlich vermeldet, aber selten in seinen Ursachen und Hintergründen benannt. Die vorherrschenden Bilder in den Köpfen setzen Islam und Gewalt weitgehend gleich. Umso leichter fällt es, die Hamas in eben dieser Kategorie zu verorten und in ihr die Wurzel allen Übels zu sehen. Differenzierende Analysen erscheinen somit überflüssig – warum den Terror beschönigen? Einen israelischen, jüdischen Fanatismus gar kann es nicht geben, weil es ihn eigentlich nicht geben darf. Und wenn er nicht mehr zu übersehen ist, handelt es sich um Einzelfälle oder kleine Minderheiten innerhalb einer ansonsten tadellos aufgestellten Demokratie.

Darf man Israel überhaupt kritisieren? Als Deutscher zumal? Oder ist «Israelkritik» nur eine Neuauflage des Antisemitismus, unter anderen Vorzeichen? Diese Frage wird gerne dann gestellt, wenn israelische Staatsgewalt allzu sichtbar wird und die öffentliche Meinung zu kippen droht, so auch während des letzten Gaza-Krieges. Hasserfüllte Parolen von Palästinensern auf Demonstrationen in Berlin und anderswo galten als Beleg für Antisemitismus. Der israelische Botschafter beklagte, einen solchen Zuwachs an Judenfeindschaft habe er noch nicht erlebt. Deutsche Politiker bis hinauf zum Bundespräsidenten, denen nicht ein Wort des Mitleids für die vielen zivilen Toten im Gazastreifen über die Lippen gekommen war, geschweige denn ein Wort der Kritik, schlossen sich diesem Tenor an und versicherten, alles zu tun, um den Antisemitismus auch weiterhin zu bekämpfen. Im September, kurz nach Kriegsende, war die Welt dann wieder in Ordnung, als Verbands- und Volksvertreter, darunter die Bundeskanzlerin, auf einer Veranstaltung am Brandenburger Tor den Antisemitismus einmal mehr mit scharfen Worten geißelten. Die rund 2200 Toten im Gazastreifen spielten dabei keine Rolle.

Wäre es nicht sinnvoll, den Begriff «Antisemitismus» zunächst einmal zu klären? Ist ein Palästinenser, dessen Eltern oder Großeltern 1948 aus ihrer Heimat vertrieben wurden, der selbst in den 1980er Jahren aus dem Libanon nach Deutschland flüchtete, der möglicherweise Verwandte im Gazastreifen hat und seine Wut auf Israel herausbrüllt, in derselben Kategorie zu verorten wie ein Joseph Goebbels? Stellt Gewalt gegen Israelis ein größeres Verbrechen dar als Gewalt gegen Palästinenser? Ist Hetze gegen Juden verwerflicher als Hetze gegen Araber und Muslime? Was genau spräche dagegen, sowohl die Gewalt und die Hetze gegenüber der einen wie auch gegenüber der anderen Seite zu verurteilen? Den Terror von Palästinensern ebenso beim Namen zu nennen wie die israelische Staatsgewalt? Oder wäre Staatsterrorismus der angemessenere Begriff? Betrachten wir ethische und völkerrechtliche Normen als universell gültig oder müssen Palästinenser, Araber und Muslime hier und da Abstriche hinnehmen, aufgrund des von uns verübten Menschheitsverbrechens, aufgrund der von Deutschen eingerichteten Todesfabrik Auschwitz? Wenn Letzteres der Fall wäre, mit welcher normativen Begründung?

Eine neue Runde im «Friedensprozess»

Der israelische Historiker Tom Segev bezeichnet die zutiefst unkritische deutsche Haltung gegenüber israelischer Politik als Feigheit vor dem Freund. In der Tat drängt sich eine naheliegende Frage auf: Warum eigentlich sollte es nicht möglich sein, sich sowohl zur deutschen Verantwortung gegenüber der eigenen Geschichte und deren Opfern zu bekennen, als auch israelische Politik dort, wo sie wissentlich und vorsätzlich rechtsstaatliche Grundsätze oder internationale Rechtsnormen missachtet, klar und deutlich anzuprangern? Ein wahrer Freund Israels, der dem Judentum mit Respekt und Sympathie begegnet, hat doch gar keine andere Wahl, als den ebenso zerstörerischen wie auch selbstzerstörerischen Weg, den die israelische Gesellschaft geht, beim Namen zu nennen. Auch Vertreter von Nichtregierungsorganisationen in Israel und der kaum noch vorhandenen Friedensbewegung verlangen gerade von Deutschland, sich einzumischen. Israels Weg führt in die Ethnokratie, die Zwangsherrschaft einer jüdischen Minderheit über eine nichtjüdische Mehrheit zwischen Mittelmeer und Jordanfluss, und er verlagert den nationalen Konflikt zwischen Israelis und Palästinensern zunehmend auf die Ebene eines Religionskrieges, einer Auseinandersetzung zwischen Juden und Muslimen. Es gibt viele Methoden, Selbstmord zu begehen. Dieser Weg ist eine davon.

Neun Monate hatte sich US-Außenminister John Kerry bemüht, den «Friedensprozess» zwischen Israelis und Palästinensern wiederzubeleben. Im März 2014 musste er sein Scheitern eingestehen und machte dafür indirekt die israelische Regierung verantwortlich. Die «Times of Israel» zitierte den Presseberater von Premier Netanjahu am 11. Juli 2014 mit den Worten, dieser habe «die Gespräche absichtlich ins Leere laufen lassen». Daraufhin schlossen die beiden größten und tief verfeindeten palästinensischen Organisationen, Fatah und Hamas, im April ein Versöhnungsabkommen und bildeten eine Regierung der nationalen Einheit aus gemäßigten Technokraten, ohne ein einziges Hamas-Mitglied. Netanjahu griff daraufhin den Fatah-Chef und Präsidenten der palästinensischen Autonomiebehörde in Ramallah, Mahmud Abbas, scharf an: «Seine Strategie beweist, dass es keinen Unterschied zwischen ihm und den Terroristen gibt.» Dennoch begrüßten sowohl Brüssel wie auch Washington die Bildung der neuen Regierung. Israel blockierte daraufhin die Überweisungen der Gehälter für 43 000 Beamte der Hamas im Gazastreifen durch die Autonomiebehörde.

Auf die Entführung von drei israelischen Jugendlichen im Westjordanland am 12. Juni reagierte Netanjahu, indem er umgehend die Hamas-Führung dafür verantwortlich machte. Obgleich diese jede Beteiligung zurückwies, behauptete Netanjahu, es gebe «unzweideutige Beweise» dafür, dass die Hamas hinter der Entführung stehe – die er bis heute allerdings nicht vorgelegt hat. Später sollte sich herausstellen, dass die Kidnapper aus einem Clan stammten, der mit der Hamas sympathisiert, aber offenbar aus eigenem Antrieb handelten. In dem Bestreben, die Einheitsregierung um jeden Preis zu diskreditieren, sagte Netanjahu: «Leider bestätigt sich nun, was ich schon seit Monaten sage: Das Bündnis mit der Hamas hat sehr schwerwiegende Konsequenzen.»

Obwohl die israelischen Sicherheitskräfte bereits kurz nach der Entführung wussten, dass die drei Jugendlichen umgebracht worden waren, hielten sie diese Information bis zum 1. Juli zurück. In der Zwischenzeit stürmte die israelische Armee, auf direkten Befehl Netanjahus, Gebäude von politischen Organisationen und Wohlfahrtseinrichtungen der Hamas im Westjordanland und verhaftete Hunderte ihrer Vertreter. Gleichzeitig entlud sich eine Welle anti-arabischen Hasses in Israel und unter den Siedlern, der ein 15-jähriger Palästinenser in Ostjerusalem zum Opfer fiel: Er wurde lebendig verbrannt. Unmittelbar nach dem 12. Juni begannen auch die israelischen Angriffe auf den Gazastreifen. Die Hamas hat nicht zurückgeschossen, wohl aber andere, radikalere Organisationen wie der Islamische Dschihad. Erst am 7. Juli reagierte die Hamas erstmals auf den Beschuss, nachdem israelische Bomben in der Nacht zuvor sechs Hamas-Funktionäre in Gaza getötet hatten – damit war der im November 2012 geschlossene Waffenstillstand zwischen Israel und der Hamas hinfällig, der den vorangegangenen Gaza-Krieg beendet hatte.

Im Klartext: Die Hamas hat zwischen November 2012 und Juli 2014 *keine einzige Rakete* auf Israel abgefeuert, wie das israelische «Meir Amit Intelligence and Terrorism Information Center» in seiner Wochenchronik für den 2. bis 8. Juli 2014 anmerkt, ein Think Tank mit engen Kontakten zur IDF, der israelischen Armee. «Zum ersten Mal seit der Operation Wolkensäule (November 2012, ML) hat sich die Hamas am Raketenbeschuss beteiligt und dafür die Verantwortung übernommen.» Selbst die regierungsnahe «The Jerusalem Post» vermeldete im Mai 2013: «Laut IDF-Quelle sucht die Hamas den Raketenbeschuss aus dem Gazastreifen zu unterbinden.» Da aber nicht sein kann, was nicht sein darf, die Rollen von «gut» und «böse» klar besetzt sind, stellte es die «New York Times» am 23. Juli wahrheitswidrig anders dar. Unter der Überschrift «Hamas setzt auf Krieg, weil sie in Gaza mit dem Rücken zur Wand steht» heißt es: «Als die Hamas ganze Batterien von Raketen in Richtung Israel abschoss, führten unterschwellige Feindseligkeiten und wechselseitiges Feuer zum offenen Krieg.»

Die Hamas erkennt Israel nicht an?

Nachdem also die Regierung Netanjahu den von Kerry moderierten «Friedensprozess» ins Leere hatte laufen lassen, nahm sie die Entführung und Ermordung von drei israelischen Jugendlichen zum Anlass, Krieg gegen den Gazastreifen zu führen – um auf diese Weise die palästinensische Einheitsregierung endgültig zu torpedieren. Doch nicht die israelische Regierung stand am Pranger, sondern die Hamas. Die Reflexe funktionieren wie gehabt, gerne unter Verweis auf die Hamas-Charta von 1988, welche die Zerstörung Israels fordert. Seit ihrem Wahlsieg 2006 hat sich die Hamas allerdings gewandelt – wie jede Partei, die aus der Opposition an die Regierung gelangt.

Der Wahlsieg hatte zur Folge, dass die USA, Israel und die Europäische Union alles daran setzten, die Übernahme der Autonomiebehörde durch die Hamas zu verhindern. Mit Hilfe des Wahlverlierers Mahmud Abbas kam es im Gazastreifen zu heftigen Kämpfen zwischen Fatah und Hamas. Im Ergebnis wurden die palästinensischen Gebiete zweigeteilt: Die Hamas kontrolliert seither den Gazastreifen, die von der Fatah dominierte Autonomiebehörde das Westjordanland. Parlamentswahlen haben seit 2006 nicht mehr stattgefunden, weil ein erneuter Wahlsieg der Hamas wahrscheinlich wäre.

Der Hamas-Führer Ismail Haniyya, von 2006 bis 2007 palästinensischer Ministerpräsident, antwortete der «Washington Post» im Februar 2006 auf die Frage, ob die Hamas bereit sei, Israel anzuerkennen: «Wenn Israel erklärt, dass es den Palästinensern einen Staat und ihre Rechte zurückgibt, dann ist auch die Hamas bereit, Israel anzuerkennen.» Im März 2006 erstellte die Hamas ein neues politisches Programm, das im Gegensatz zur Hamas-Charta nirgendwo Bezug nimmt auf das «historische Palästina». Im Juni 2006 schrieb Haniyya einen handschriftlichen Brief an Präsident Bush (wie es dazu kam, erläutert die israelische Zeitung «Haaretz» am 14. November 2008). Darin heißt es: «Wir sind so sehr besorgt über Sicherheit und Stabilität in der Region, dass wir keine Einwände gegen einen palästinensischen Staat in den besetzten Gebieten erheben. Wir sind bereit, uns auf einen langjährigen Waffenstillstand zu verpflichten.» Und weiter: «Die Beibehaltung der jetzigen Situation wird Gewalt und Chaos in der gesamten Region fördern.»

Die Regierung Bush sah keinen Anlass, auf dieses Schreiben zu antworten. Die israelische Regierung setzte ihre bisherige Politik fort. Allein 2006 wurden 660 Palästinenser im Gazastreifen von israelischen Bomben und Raketen getötet, die meisten davon Zivilisten, ein Drittel Kinder. Die Vereinten Nationen beziffern die Zahl der von Israel getöteten Palästinenser von April 2006 bis Juli 2012 auf 2879. Zum Vergleich: Bis zum Beginn des Gaza-Krieges 2014 starben 28 Israelis durch Raketenbeschuss aus dem Gazastreifen. Als Reaktion auf ihren Wahlsieg 2006 setzte die Europäische Union die Hamas, wie vor ihr bereits Washington, auf die Terrorliste, weil sie Israel zu «vernichten» trachte. Gleichzeitig schränkte Israel den Warenverkehr in den Gazastreifen drastisch ein, was alle lebenswichtigen Güter betraf, auch Lebensmittel.

«Man muss sich das vorstellen wie bei einer Diät», bemerkte dazu Dov Weisglass, einflussreicher Berater des damaligen Premiers Ariel Scharon. «Wir sorgen dafür, dass sie», gemeint sind die Bewohner des Gazastreifens, «dünner werden, aber nicht dünn genug, um zu sterben.» Trotz dieser Fürsorge reichten die Lebensmittelimporte nicht aus, um das erforderliche tägliche Minimum an Kalorienaufnahme für die Bevölkerung zu gewährleisten. Man muss dazu wissen, dass die – offizielle – Arbeitslosenquote bei

50 Prozent liegt, 80 Prozent der Bewohner sind auf Lebensmittelhilfen der Vereinten Nationen angewiesen. Die meisten, ebenfalls vier Fünftel, sind übrigens Flüchtlinge oder deren Nachfahren, die 1947/48 aus Israel oder 1967 von Israel aus dem Westjordanland vertrieben wurden.

Vor allem Kinder zeigten nach Angaben von Hilfsorganisationen bald nach Einführung der «Diät» Symptome von Unterernährung, litten an Blutarmut, unter Typhus und Durchfall. Eine Kollektivstrafe, die selbst vor den Schwächsten nicht Halt machte. Der israelische Historiker Avi Shlaim meint dazu: «Amerika und die EU haben sich auf schamlose Weise Israel angedient, indem sie die Hamas-Regierung verfemten und dämonisierten, indem sie durch das Zurückhalten von Steuereinnahmen und Hilfsgeldern die Regierung zu Fall zu bringen suchten. Auf diese Weise ist die völlig absurde Situation entstanden, dass ein beträchtlicher Teil der internationalen Gemeinschaft Wirtschaftssanktionen nicht etwa gegen den Besatzer verhängt hat, sondern gegen denjenigen, der unter Besatzung lebt. Nicht gegen den Unterdrücker, sondern gegen den Unterdrückten. Wie schon so oft in der tragischen Geschichte Palästinas wurden die Opfer für ihr Unglück selbst verantwortlich gemacht.»

Entsprechend wurde nicht von Israel verlangt, die Angriffe auf den Gazastreifen einzustellen, sondern von der Hamas, den Beschuss Israels zu beenden. Obwohl die Hamas-Regierung boykottiert wurde, sollte sie gleichwohl als Hilfssheriff dienen. Die von Israel veranlasste Mangelversorgung des Gazastreifens hatte zur Folge, dass im großen Stil Tunnel in Richtung Sinai gebaut wurden, über die bis zum Militärputsch in Ägypten 2013 ein Großteil der Versorgung erfolgte. Diese Tunnel wiederum nahm Israel zum Anlass, zum Jahreswechsel 2008/09 die Operation «Gegossenes Blei» mit 1400 getöteten Palästinensern durchzuführen – durch die Tunnel wurden auch Waffen geschmuggelt.

Rasen mähen

Was erwartet die israelische Regierung, was glauben ihre westlichen Freunde? Dass Menschen unter solchen Bedingungen keinen Widerstand leisten? Selbstverständlich hat Israel, haben die Bürger Israels ein Recht darauf, in Frieden und Sicherheit zu leben und sich zu verteidigen. Inwieweit die regelmäßigen Angriffe auf den Gazastreifen, von offizieller Seite gerne als «Rasen mähen» bezeichnet, dafür den geeigneten Rahmen schaffen, möge jeder für sich selbst beurteilen.

Die Hamas müsse Israel anerkennen und der Gewalt abschwören, dieser Glaubenssatz ist fest in hiesiger Politik und den Leitmedien verankert. Alles andere ist nebensächlich, die Faktenlage ebenso wie auch das Elend im Gazastreifen. Erstaunlicherweise kommt niemand auf die Idee, umgekehrt von der israelischen Regierung zu verlangen, doch bitte die Grenzen zu benennen, innerhalb derer man anerkannt zu werden wünscht. Israel ist der einzige Mitgliedsstaat der Vereinten Nationen, der nie seine Grenzen festgelegt hat. PLO und Fatah haben Israel übrigens schon 1988 anerkannt. Was hat es bewirkt? Ist deswegen eine Siedlung weniger gebaut worden?

Die Palästinenser haben den Kampf gegen den Zionismus bereits in den 1930er Jahren verloren. Bekämen sie ihren eigenen Staat in den von Israel 1967 besetzten Gebieten, erhielten sie ihn auf weniger als einem Viertel der Fläche ihrer alten Heimat. Aber selbst das ist keine israelische Regierung bereit, den Palästinensern zu gewähren – ungeachtet des Friedensvertrags von Oslo 1993. Dennoch ergeht von westlicher Seite gerne und regelmäßig der Appell an die Palästinenser, «Kompromissbereitschaft» zu zeigen, auf «Maximalforderungen» zu verzichten. Israel hingegen, das völkerrechtswidrig palästinensisches Land mit Siedlungskolonialismus überzieht, sieht sich vergleichbaren Forderungen nicht ausgesetzt. Zeigen sich die Palästinenser gemäßigt, bekommen sie von israelischer Seite nichts. Wenden sie Gewalt an, gelten sie als Terroristen. Wendet hingegen Israel Gewalt an, handelt es sich um Selbstverteidigung.

Warum sperren sich israelische Regierungen gegen einen palästinensischen Staat? Jenseits aller Machtpolitik vor allem aus ideologischen Gründen. Nicht allein Israels Ultranationalisten, die seit der Ermordung von Premierminister Jitzchak Rabin 1995 durch einen jüdischen Rechtsextremisten einen beängstigenden Zulauf erfahren haben und bei den Parlamentswahlen 2013 sowie 2015 eine klare Mehrheit der Stimmen erhielten, betrachten das gesamte Land zwischen Mittelmeer und Jordanfluss als biblisch verheißenes Eretz Israel. Das Westjordanland gilt ihnen entsprechend als Judäa und Samaria. Dieses gottgegebene Land nun den Palästinensern zu überlassen, erschiene ihnen absurd. Es ist ja ihr Land. Der Einfachheit halber behaupten sie gerne, es gebe gar keine Palästinenser, die seien ein erfundenes Volk. Und überhaupt, der Terror. Wenn die Radikalen aus dem Umfeld der Siedlerbewegung ihren Willen bekämen, würden sie die Palästinenser in Richtung Sinai, Libanon oder Jordanien abschieben. Stattdessen sehen diese sich im Westjordanland einer israelischen Besatzungspolitik ausgesetzt, die ihnen das Leben vielfach zur Hölle macht oder die Existenzgrundlage entzieht, in erster Linie den Bauern. In der nicht immer nur stillen Hoffnung, dass die Palästinenser irgendwann aufgeben und ihre Heimat verlassen. Wer das tatsächlich tut, verliert nach sieben Jahren im Ausland sein Aufenthaltsrecht, für das Westjordanland ebenso wie für Ostjerusalem. Was selbstverständlich nicht für Israelis gilt, die etwa nach Berlin oder New York emigrieren. Für sie gelten keinerlei Einschränkungen.

Doch zurück zum Gaza-Krieg. Am 8. Juli 2014 begann Israel offiziell mit der «Operation Protective Edge», Schutzkante, doch blieben die Kriegsziele nebulös. Netanjahu sprach davon, im Süden Israels «die Ruhe wiederherzustellen», Verteidigungsminister Moshe Ya'alon nannte «null Raketen» als Ziel, später wollte Netanjahu der Hamas «einen harten Schlag versetzen». Am 15. Juli stimmte das israelische Kabinett einem von Ägypten vorgeschlagenen Waffenstillstand zu, der sich an der Waffenruhe von 2012 orientierte. Die Hamas lehnte ab, da keine Rede davon war, die Blockade zu beenden und die Grenzübergänge wieder zu öffnen, wie von ihr gefordert. Als kurz darauf Hamas-Kämpfer durch einen Tunnel auf israelisches Gebiet gelangten, erklärte die israelische Regierung nunmehr die Zerstörung aller Tunnel zum Kriegsziel – erstmals seit Beginn der Kampfhandlungen. Daraufhin wurde die Bodenoffensive im Gazastreifen eingeleitet, die für einen Großteil der verheerenden Zerstörungen und die hohen Opferzahlen verantwortlich ist.

Der bislang längste Nahostkrieg endete am 26. August mit einem von Ägypten vermittelten und «zeitlich unbefristeten» Waffenstillstand. Die Einzelheiten wurden nicht bekanntgegeben, nachfolgende Verhandlungen sollen eine dauerhafte Waffenruhe gewährleisten. Bislang haben sie nicht stattgefunden, und vermutlich wird es sie auch nie geben. Eine künftige Vereinbarung dürfte nur Bestand haben, wenn in der Tat die Blockade des Gazastreifens aufgehoben wird, was ein Gebot der Vernunft ist und alle palästinensischen Fraktionen verlangen. Nichts aber deutet in diese Richtung, jenseits von Symbolik. Eine politische Perspektive hat der Gazastreifen ohnehin nicht, solange es keinen palästinensischen Staat gibt. Mit anderen Worten: Der nächste Waffengang ist nur eine Frage der Zeit.

Zerstörungen «jenseits jeder Beschreibung»

Ungeachtet der hohen palästinensischen Opferzahlen und großflächigen Zerstörungen in Gaza hat Israel keinen erkennbaren strategischen Sieg errungen. Entgegen der offiziellen Darstellung ging es in diesem Krieg nicht um Tunnel und auch nicht um Raketen. Vielmehr darum, den bewährten Status quo ante wiederherzustellen. Die palästinensische Einheitsregierung zu zerschlagen, um den «Friedensprozess» wieder in gewohnte Bahnen zu lenken, ihn als Kulisse zu gestalten. Die Hamas gilt in Israel als Inkarnation des Bösen schlechthin, ähnlich wie der Iran. Beide Feindbilder, die sich längst verselbständigt haben, sind in der Bevölkerung überaus wirkungsmächtig und tragen erheblich zu den Wahlerfolgen der Ultranationalisten bei. Allein deswegen darf es keine Versöhnung zwischen Hamas und Fatah geben. Das Ideal der israelischen Regierung ist ein geschwächter Mahmud Abbas, der als Statist für den «Friedensprozess» dringend benötigt wird, während Israel auch weiterhin mit immer größeren Bauvorhaben im Westjordanland und in Ostjerusalem vollendete Tatsachen schafft.

UN-Generalsekretär Ban Ki-moon bezeichnete die Zerstörungen im Gazastreifen bei einem Besuch im Oktober 2014 als «jenseits jeglicher Beschreibung». Etwa 2200 Tote, mehr als 10 000 Verletzte, ganze Stadtteile dem Erdboden gleichgemacht, 175 Fabriken zerstört. Riesige Trümmerberge, geschätzte vier Millionen Tonnen Schutt, ohne Chance auf Entsorgung. Ohne Baumaschinen, ohne Exportmöglichkeit, ohne Platz für Müllkippen. Kläranlagen fehlen oder sind zerstört, das Abwasser wird teilweise ins offene Meer geleitet, das Grundwasser versalzt. Der Boden wird unfruchtbar, die Stromversorgung reicht nur für wenige Stunden am Tag, die meisten Stromleitungen sind zerstört. Das Gesundheitssystem liegt am Boden, fast alle Schulen sind Ruinen oder beschädigt und müssen dennoch als Notunterkünfte dienen. Nach Angaben der Gaza-Expertin Sara Roy vom Center for Middle East Studies in Harvard haben 450 000 Bewohner keinen Zugang zu sauberem Trinkwasser, sind mindestens 370 000 Menschen schwer traumatisiert. Die Zerstörung der Fabriken hat Tausende Arbeitsplätze gekostet, Zehntausende leben in Ruinen. Etwa 17 000 Wohnungen wurden in Schutt und Asche gelegt. Fast alle Einrichtungen der Vereinten Nationen liegen in Trümmern oder sind schwer beschädigt worden, mehr als 100. Der Gaza-Krieg 2014 hat der Wirtschaft endgültig das Rückgrat gebrochen und die Mittelschicht weitgehend vernichtet. Der Krieg hat die Menschen auf dem kleinsten gemeinsamen Nenner vereint, der Armut. Das bisherige gesellschaftliche Netzwerk, das über Solidarität die mittellose Bevölkerung wirtschaftlich am Leben gehalten hatte, wurde zerstört.

Die palästinensische Autonomiebehörde schätzt die Kosten für den Wiederaufbau auf 7,8 Milliarden Dollar. Sara Roy bezweifelt, ob der Gazastreifen überhaupt wiederaufgebaut werden kann. «Sollen nur die Schäden von 2014 behoben werden oder auch die der Militäroperationen aus den Jahren 2000, 2003, 2005, 2006 und so weiter?», zitiert die ARD-Korrespondentin Bettina Marx die Expertin. Die Zerstörungen 2014 hätten einen ohnehin schon völlig ausgemergelten Gazastreifen mit einer wirtschaftlich und seelisch bereits am Boden liegenden Gesellschaft getroffen. Ihrer Meinung nach könne es so nicht weitergehen, dass Israel in immer wiederkehrenden Offensiven die Infrastruktur zerstöre und die Staatengemeinschaft anschließend den Gazastreifen wieder aufbaue.

In diesem Punkt dürfte die Expertin irren. Die erste Geberkonferenz tagte im Oktober 2014 in Kairo, ohne von Israel zu verlangen, sich an den Kosten für den Wiederaufbau zu beteiligen. Die Europäische Union hat seit Oslo 1993 Hunderte Millionen Euro in die Infrastruktur des Gazastreifens investiert, einschließlich des Baus eines Flughafens. Alles zerstört, stets mit derselben Begründung: Die Hamas nutze sie für terroristische Zwecke. Nie hat die Europäische Union Israel dafür eine Rechnung gestellt oder rote Linien aufgezeigt. Im Jahr 2000 haben Israel und die EU ein Assoziierungsabkommen geschlossen, das auf 154 Seiten Vertragstext ohne das Wort «Palästina» auskommt und die israelische Besatzung mit keiner Silbe erwähnt. Stattdessen wurde auf israelische Veranlassung eine «gemeinsame Erklärung» für «den Kampf gegen Fremdenfeindlichkeit, Antisemitismus und Rassismus» abgegeben.

Kriegsverbrechen? Welche Kriegsverbrechen?

Im Juli 2014 verlangten sechs Friedensnobelpreisträger, darunter Desmond Tutu, und mit ihnen Hunderte Intellektuelle aus allen Teilen der Welt sowie Dutzende Kirchen aus den USA und einige jüdische Verbände, als Reaktion auf Israels Vorgehen im Gazastreifen jedwede militärische Zusammenarbeit mit dem jüdischen Staat zu beenden. Die Bundesregierung geht den entgegengesetzten Weg. Im Oktober beschloss sie, Tel Aviv zwei Korvetten zu verkaufen. Sie kosten eigentlich eine Milliarde Euro, aber eingedenk der besonderen historischen Verantwortung gegenüber Israel gewährte Berlin einen Preisnachlass von 300 Millionen Euro aus Steuergeldern. Rechnet man die Subventionen für den Verkauf von insgesamt acht U-Booten an Israel seit Beginn der 2000er Jahre hinzu, hat sich der hiesige Steuerzahler mit knapp zwei Milliarden Euro an Rüstungsgeschäften mit Israel beteiligt – obwohl Berlin offiziell keine Waffen in Krisengebiete verkauft. Mit an Sicherheit grenzender Wahrscheinlichkeit werden diese deutschen Korvetten im nächsten Gaza-Krieg eingesetzt werden, um den Küstenstreifen unter Beschuss zu nehmen. Somit schließt sich der Kreis: Deutsche Politiker lernen aus der Geschichte, indem sie Israel Waffen zum Freundschaftspreis liefern, die anschließend auf Palästinenser gerichtet werden.

Der UN-Menschenrechtsrat beschloss im Juli 2014, eine Kommission einzurichten, um mögliche Kriegsverbrechen auf israelischer wie palästinensischer Seite zu untersuchen. Im November verweigerte Israel dieser Kommission die Einreise – aufgrund ihrer «zwanghaften Feindschaft» gegenüber dem jüdischen Staat. Man stelle sich einmal vor, Teheran würde mit vergleichbarer Begründung eine Delegation der Internationalen Atomenergiebehörde nicht einreisen lassen. Zunächst wurde die Kommission von dem kanadischen Juristen William Schabas geleitet, dem das israelische Außenministerium «Voreingenommenheit» vorwarf, weil er wiederholt die Besatzungspolitik kritisiert hatte. Daraufhin musste er zurücktreten, den Vorsitz übernahm stattdessen die israelischen Positionen deutlich zugeneigtere US-Juristin Mary McGowan Davis. Im Juni 2015 legte der UNHRC, der UN-Menschenrechtsrat, seinen Untersuchungsbericht vor. Er dokumentiert das Leid der israelischen Zivilbevölkerung infolge des Raketenbeschusses aus dem Gazastreifen: Tausende Raketen waren auf Israel abgeschossen, aber meist vom Raketenabwehrsystem «Iron Dome» abgefangen worden. Da sie sich gegen israelische Städte richteten und in erster Linie Zivilisten bedrohten, gelten sie als Kriegsverbrechen. Dessen ungeachtet enthält der Bericht in erster Linie eine ausführliche Darstellung der von Israel begangenen «Verstöße gegen das Völkerrecht». Israels Premier Netanjahu kommentierte ihn mit den Worten, er sei nichts als «eine Vergewaltigung der Wahrheit».

«Haaretz» schrieb am 23. Juni: «Dieser Bericht wird die Bunker-Mentalität der Israelis noch verstärken. Die diplomatische Großoffensive gegen dessen Untersuchungsergebnisse verfolgt die Absicht, die Repressionen (gegenüber den Palästinensern, ML) auch in Zukunft ungehindert fortzusetzen.» Die Entschlossenheit, an deren Entrechtung festzuhalten, habe nach dem «abscheulichen Blutbad» in Gaza nicht etwa abgenommen, sondern sich im Gegenteil noch verstärkt.

In jedem Krieg stirbt die Wahrheit bekanntlich zuerst. Zu den größten Lügen im Gaza-Krieg gehört die Behauptung, Israel habe Zivilisten zu schonen versucht. Die israelische Menschenrechtsorganisation B'Tselem hat anhand von Schaubildern aufgezeigt, wie ganze Großfamilien durch Flächenbombardements ausgelöscht wurden. Der Internetblog «+972 Magazine», neben «Haaretz» eine der letzten liberalen Medienbastionen in Israel, verweist darauf, dass es keinerlei Belege dafür gebe, dass die Hamas Zivilisten als menschliche Schutzschilde benutzt, sie an der Flucht gehindert oder sie gezwungen habe, in ihren Häusern oder gar auf den Dächern zu verbleiben. Hingegen habe die israelische Armee wiederholt palästinensische Jugendliche als menschliche Schutzschilde eingesetzt, standrechtliche Erschießungen durchgeführt und bei Hausdurchsuchungen Geld wie auch Wertgegenstände entwendet. In diesem wie auch in den vorangegangenen Kriegen im Gazastreifen nahm die israelische Armee Einrichtungen der Vereinten Nationen unter Beschuss, darunter Schulen, die überfüllt waren mit Flüchtlingen. Der schlimmste Vorfall ereignete sich am 2. August in Rafah, als 30 Schutzsuchende durch eine Bombe ums Leben kamen – der UN-Generalsekretär sprach von einem «kriminellen Akt». Die israelische Standardbegründung lautet in solchen Fällen, in den Schulen würden Waffen versteckt oder es seien von dort Raketen abgefeuert worden.

Schlangen töten

Der Gazastreifen hat die Größe der Stadt Bremen. Etwa die Hälfte des Wüstengebiets ist bebaut. Alle Grenzübergänge sind geschlossen, es gibt nicht einen Bunker. Wer unter solchen Bedingungen einen Angriffskrieg führt, führt zwangsläufig Krieg gegen die Zivilbevölkerung und betreibt bewusst die Zerstörung der Infrastruktur. Und letztendlich geht es genau darum: den Palästinensern die Botschaft zu vermitteln, dass sie keine Chance haben. Dass sie nie ihren Staat bekommen werden, dass jeder Widerstand zwecklos ist, dass sie sich in ihr Schicksal fügen mögen. Israelische Politiker machen aus ihrer Gesinnung auch keinen Hehl. Der stellvertretende Sprecher der Knesset, der Likud-Abgeordnete Moshe Feiglin, schlug zu Beginn der Bodenoffensive Folgendes vor: Die «feindliche Bevölkerung» bekommt eine einzige Warnung zu fliehen, und zwar in den Sinai. «Mehr humanitäre Bemühungen von Seiten Israels braucht es nicht.» Anschließend Flächenbombardements ohne Rücksicht auf «menschliche Schutzschilde» oder «Umweltschäden». Vollständige Belagerung des Gazastreifens, nichts und niemand kommt herein oder heraus. Die Knesset-Abgeordnete Ayelet Shaked, von 2006 bis 2008 Büroleiterin Netanjahus und seit 2015 Justizministerin, empfahl auf ihrer Facebook-Seite die Tötung palästinensischer Mütter, die «kleine Schlangen» gebären würden: Das palästinensische Volk bestehe aus «feindlichen Kämpfern, und ihr Blut solle über sie kommen. Das schließt die Mütter der Märtyrer mit ein, die sie mit Blumen und Küssen zur Hölle fahren lassen. Sie sollten ihren Söhnen folgen, nichts wäre gerechter. Sie sollten verschwinden, wie auch die Häuser, in denen sie die Schlangen großgezogen haben. Ansonsten werden dort noch mehr kleine Schlangen aufwachsen.»

Einzelmeinungen? Sie sind eher Teil eines grundlegenden Problems, das sich auch in der Berichterstattung in Israel niederschlug. Von wenigen Ausnahmen abgesehen waren die Medien wie gleichgeschaltet, bejubelten den Waffengang und ersparten ihren Lesern und Zuschauern Bilder des menschlichen Elends im Gazastreifen. B'Tselem versuchte, im staatlichen Radio eine Werbung zu schalten und die Namen von getöteten palästinensischen Zivilisten zu verlesen. Im redaktionellen Teil war das undenkbar. Das Anliegen wurde juristisch unterbunden. Nie zuvor stand Israels Bevölkerung, genauer ihr jüdischer Teil, so geschlossen hinter der Regierung wie während des Gaza-Krieges 2014. Jahrzehnte der Besatzung und der damit einhergehenden Entmenschlichung der Palästinenser bleiben nicht ohne Folgen. Wer einmal israelische Reservisten im Alter von 18 oder 19 Jahren beobachtet hat, wie sie etwa am Grenzübergang Kalandia bei Ramallah mit Palästinensern verfahren, weiß, wie man Rassismus buchstabiert. Die politischen Auseinandersetzungen in Israel werden heute nicht mehr zwischen konservativ, liberal und sozialdemokratisch ausgetragen, auch nicht zwischen Friedens- und Siedlerbewegung, sondern zwischen drei großen ultranationalistischen Parteien, die eine geführt von Benjamin Netanjahu (Likud), die zweitgrößte (Das jüdische Haus) von Wirtschaftsminister Naftali Bennett, die dritte (Unser Haus Israel) von Avigdor Lieberman, bis 2015 Außenminister. Inhaltliche Unterschiede gibt es zwischen ihnen kaum, sie sprechen lediglich verschiedene Wählergruppen an. Diese Parteien denken nicht daran, mit den Palästinensern Frieden zu schließen.

Der Rassismus in Israel zeigt sich spätestens seit dem Gaza-Krieg 2014 vollkommen enthemmt. Junge Israelis posieren auf Facebook mit Slogans wie: «Araber zu hassen ist nicht Rassismus, sondern ein Wertesystem.» Der damalige Außenminister empfahl, den Palästinensern mit israelischem Pass die Staatsangehörigkeit zu entziehen. Ein Fünftel der israelischen Staatsbürger sind Palästinenser, die meisten leben in Galiläa. In Israel werden sie aber nicht als solche bezeichnet, sondern als Araber. Sie waren nie etwas anderes als Bürger zweiter Klasse. So erhalten palästinensische Stadtverwaltungen in Israel weniger als die Hälfte des Budgets jüdischer Gemeinden, können Palästinenser viele Berufe nicht ausüben, erhalten sie nur zu erschwerten Bedingungen Bankkredite. Ein weiterer Vorschlag Liebermans: Den israelischen Palästinensern Geld geben, damit sie «verschwinden». Der Bürgermeister der jüdischen Oberstadt von Nazareth ruft dazu auf, die Zahl der arabischen Einwohner nicht anwachsen zu lassen – die Innenstadt ist mehrheitlich palästinensisch. Israelische Politiker plädieren dafür, Geschäfte von Palästinensern zu boykottieren. Die ersten Buslinien nur für Palästinenser sind eingeführt worden. Ein Vergnügungspark in Rishon Lezion trennt den Zutritt nach Juden und Arabern. In israelischen Restaurants werden Palästinenser häufig nicht bedient, immer mehr israelische Firmen stellen ausschließlich Juden ein.

Auch die Gewalt hat deutlich zugenommen. Regelmäßig kommt es zu Anschlägen auf palästinensische Einrichtungen, Häuser oder Moscheen, in Israel wie auch im Westjordanland. In den israelischen Medien werden sie vorsichtig umschrieben als «Preisschild-Angriffe». Soll heißen: Das ist der Preis der Siedlungspolitik. Im November 2014 wurde die «Max Rayne Hand in Hand Jerusalem School» Opfer eines Brandanschlages, die größte jüdisch-arabische Institution des Landes. Sie bietet einen bilingualen Unterricht, Arabisch und Hebräisch. An den Mauern der Schule standen Parolen wie: «Es gibt keine Koexistenz mit einem Krebsgeschwür» oder «Tod den Arabern». Umgekehrt entladen sich Hass und Frustration auf palästinensischer Seite zunehmend in Anschlägen, die von Einzeltätern begangen werden, so auch, ebenfalls im November, auf eine Synagoge in Jerusalem, mit vier Toten.

Hass und Ablehnung von jüdischer Seite bekommen allerdings nicht allein Araber zu spüren, sondern auch israelische Soldaten, die Kritik üben am Vorgehen der Armee, Anhänger der Friedensbewegung oder liberal gesinnte Israelis, die der moralischen Verrohung entgegentreten. Gideon Levy, einer der schärfsten Widersacher israelischer Besatzungspolitik und Kolumnist von «Haaretz», erhielt während des Gaza-Krieges zahlreiche Morddrohungen und begibt sich seither nur noch mit Leibwächtern in die Öffentlichkeit.

Unterwegs in Richtung Ethnokratie

Diese Entwicklung ist nicht allein das Ergebnis jahrzehntelanger Herrschaft der einen über die anderen. Sie hat ebenso zu tun mit der kollektiven Verweigerung der israelischen Gesellschaft wie auch der jüdischen Diaspora, sich mit der eigenen Geschichte selbstkritisch auseinanderzusetzen. Stattdessen wird sie verdrängt, werden ihre Leidtragenden als Gegner oder Feinde wahrgenommen. Innerhalb der frühen zionistischen Bewegung gab es bis Anfang der 1930er Jahre zwei Strömungen. Die eine, die Minderheit, wollte den jüdischen Staat gemeinsam mit den Palästinensern aufbauen. Einer ihrer bekanntesten Vertreter war Martin Buber. Die Mehrheitsströmung aber verlangte die «Eroberung der Arbeit» und die «Eroberung des Bodens», unter Ausgrenzung und Aussiedlung der Palästinenser. Die sogenannten «Revisionisten», die geistigen Vorläufer der heutigen Ultranationalisten, waren im Zuge der Staatsgründung Israels 1948 maßgeblich verantwortlich für die Vertreibung von rund 800 000 Palästinensern aus ihrer Heimat, fast die Hälfte der Bevölkerung, auch mit Hilfe von gezielten Massakern. Diese «Ursünde» ist bis heute ein Tabu und wird nur von einigen wenigen israelischen Historikern und Intellektuellen thematisiert.

Die wenigsten wissen, dass die in Israel verbliebenen Palästinenser bis in die Mitte der 1950er Jahre in Ballungsgebieten wie Jaffa in bestimmten Stadtteilen leben mussten, streng bewacht und mit Stacheldraht gesichert. Sie durften nur mit Genehmigung verlassen werden. Als 1965 die PLO entstand, behauptete Ministerpräsidentin Golda Meir, so etwas wie Palästinenser habe es nie gegeben. Nach den Verträgen von Oslo 1993, die doch eigentlich die Grundlage für einen palästinensischen Staat legen sollten, begann im Westjordanland der größte Bauboom seit Beginn der Besatzung 1967. Obwohl Jitzchak Rabin für den Frieden eintrat. Aber auch er war innerlich gespalten, wie so viele Israelis: Frieden ja, aber welchen Preis sind wir bereit dafür zu zahlen?

Eine folgenschwere Antwort gab Ariel Scharon mit seinem Besuch auf dem Tempelberg im Jahr 2000, der Auslöser der zweiten Intifada wurde. Scharon erklärte die Verträge von Oslo für «tot» und beendete die Verhandlungen mit den Palästinensern, indem er Arafat als Terroristen bezeichnete, dessen Amtssitz in Ramallah isolieren und in Trümmer schießen ließ. Ergebnis dieser Politik war das Erstarken der Hamas, die während der ersten Intifada 1987 entstanden war, tatkräftig von israelischer Seite gefördert, um die säkulare PLO zu schwächen. Scharon war es auch, der dem nationalen Konflikt beider Völker um dasselbe Land mit seiner bewussten Provokation auf dem Tempelberg erstmals einen religiösen Anstrich verlieh.

Nüchtern besehen hat die israelische Politik zwei Optionen. Sie schließt Frieden mit ihrer eigenen Geschichte und den Palästinensern – nichts deutet darauf hin. Stattdessen verlangen Israels Ultranationalisten seit einigen Jahren die Anerkennung Israels als jüdischen Staat, vor allem von den

Palästinensern. Im November 2014 hat das israelische Kabinett einem Gesetzesvorschlag zugestimmt, der Israel zu einem «Nationalstaat des jüdischen Volkes» erklärt und in dem Zusammenhang auch Arabisch als zweite Amtssprache in Israel abschafft. Das mutet paradox an – niemand hätte vermutet, dass Israel kein jüdischer Staat wäre. Dieses Anliegen trägt allerdings einem handfesten politischen Motiv Rechnung, der demographischen Entwicklung nämlich. Es gibt heute schon mehr Palästinenser als Juden zwischen Mittelmeer und Jordanfluss. Da Israel de facto die Annexion des Westjordanlands betreibt, stellt sich die Frage: Was tun mit den Palästinensern? Sie könnten ja auf die Idee kommen, auf ihren Staat, den sie ohnehin nicht bekommen werden, auch offiziell zu verzichten und stattdessen die Gleichstellung mit den Bürgern Großisraels zu verlangen.

Um das zu verhindern, um stattdessen die Herrschaft einer Minderheit über die Mehrheit dauerhaft festzuschreiben, sollen die Palästinenser anerkennen, dass Israel ein jüdischer Staat ist. Das bedeutet: Sie sollen ihre Entrechtung als Ausdruck eines legitimen Herrschaftsanspruchs des «jüdischen Staates» anerkennen. Die Kolonialmacht verlangt gewissermaßen von den «Eingeborenen» ein klares Bekenntnis, dass sie keine Einwände gegen ihren Status als Rechtlose erheben. Auf die Idee wäre nicht einmal das britische Empire gekommen. Bewusst stellen die Ultranationalisten das Element «jüdisch» über «demokratisch», was im Ergebnis auf eine Ethnokratie hinausläuft, auf eine Neuauflage der Apartheid, unter anderen Vorzeichen. Dieses politische Modell ist allerdings in Südafrika gescheitert. Welchen Grund gibt es für die Annahme, es könnte sich im Nahen Osten bewähren? Die Alternative, die Zweistaatenlösung, ist fast schon blasse Erinnerung.

Der israelische Ultranationalismus hat auch eine religiöse Seite, die vor allem von der Siedlerbewegung verkörpert wird. Vor diesem Hintergrund spielt sich die jüngste Eskalationsstufe ab, die Verlagerung des nationalen Konflikts zwischen Israelis und Palästinensern auf eine religiöse Ebene. Streitpunkt wird zunehmend der Tempelberg. Jüdische Extremisten erheben den Anspruch, auf dem Gelände der Al-Aqsa-Moschee beten zu dürfen. Israelische Politiker unterstützen sie darin und beschränken gleichzeitig den muslimischen Zugang. Das Gebet ist wohl nur der erste Schritt, der nächste liegt auf der Hand: Den Haram al-Scharif, den Tempelberg, zu teilen, wie es auch mit dem Grab Abrahams in Hebron geschehen ist. Eine Hälfte für die Juden, die andere für die Muslime. Und warum nicht den von den Römern zerstörten Zweiten Tempel wiederaufbauen? Dort, wo die Al-Aqsa-Moschee steht? Der rechtsextreme Rabbi Meir Kahane hat diese Idee bereits in den 1980er Jahren verfochten. Der Attentäter Rabins kam aus den Reihen der Kahane-Bewegung. Solche Überlegungen sind meist eingebettet in noch weiterreichende Pläne: Die Demokratie zu ersetzen durch einen Gottesstaat oder wenigstens eine religiös eingefärbte Ethnokratie und die Palästinenser nach Möglichkeit zu verdrängen, idealerweise zu vertreiben.

Juden gegen Muslime – wohin soll das führen? Netanjahu setzt die Hamas mit dem «Islamischen Staat» gleich, so wie Scharon sie mit Al-Qaida gleichgesetzt hat. Das lädt zum Dschihad gegen den jüdischen Staat geradezu ein. Vor allem dann, wenn der Funke tatsächlich überspringt und die Al-Aqsa-Moschee auf muslimischer Seite zum Menetekel wird. Das *Worst-case*-Szenario: Der «Islamische Staat» erklärt den Kampf um Jerusalem zur Glaubenspflicht, der Konflikt um Palästina verschränkt sich mit dem Vormarsch des «Islamischen Staates». Sollten jüdische und muslimische Extremisten gemeinsam die Region in Brand setzen, wird alles denkbar. Auch ein großangelegter Angriff auf Israel, ein Land mit Atomwaffen.

Die neue Weltunordnung: Ein Ausblick

Gibt es Lehren, die sich ziehen ließen, Konstanten der Geschichte, vom Sturz Mossadeghs 1953 bis zum Gaza-Krieg 2014? Zunächst einmal sticht die große Kluft hervor zwischen dem Freiheitsversprechen westlicher Demokratien und der breiten Blutspur, die sich durch den Orient zieht, als Ergebnis westlicher Militärinterventionen, wirtschaftlicher Strangulierung, der engen Zusammenarbeit noch mit den übelsten Diktaturen, solange sie nur pro-westlich sind. Staaten sind zerfallen, neue Bewegungen entstanden, teilweise terroristischer Natur. Parallel durchlebt die arabisch-islamische Welt ihre Häutung, bricht sie auf zu neuen Ufern, die sich bislang noch und auf absehbare Zeit im Nebel von Gewalt und Zerstörung verlieren. Hat westliche Politik in dieser Phase des Übergangs eine konstruktive Rolle gespielt, sich gestern oder heute mit den demokratischen Kräften in der Region verbündet? Die Antwort fällt negativ aus. Die USA und mit ihnen die Europäer verfolgen zwei grundlegende Interessen: ihre Versorgung mit Energie, mit Erdöl und Erdgas, einschließlich der Sicherung der Transportrouten, und die Sicherheit Israels, wobei Sicherheit fortgesetzte Herrschaft über die Palästinenser meint. «Wenn die USA wollten, könnten sie den Konflikt zwischen Israelis und Palästinensern in drei Tagen lösen, indem sie Druck auf die israelische Regierung ausüben», glaubt Daniel Barenboim, und wer wollte ihm darin widersprechen.

Auffallend ist, dass sich derzeit die Konflikte in der Region, inklusive ihrer globalen Auswirkungen, zeitlich immer mehr verdichten. 26 Jahre lagen zwischen dem Sturz Mossadeghs und der iranischen Revolution. Eine Ewigkeit, aus heutiger Sicht. Vor zwei, drei Jahren kannte kaum jemand den «Islamischen Staat». Jetzt ist er ein ernstzunehmender Machtfaktor. Wie die Region in fünf Jahren aussehen wird, weiß niemand. Syrien und den Irak gibt es als Nationen nur noch auf der Landkarte. Zerfällt die staatliche Ordnung im Nahen und Mittleren Osten insgesamt, so wie Jugoslawien zerfallen ist? Die bewährten Methoden westlicher Einflussnahme, Militär und Sanktionen, werden daran im Zweifel nichts ändern. Hilfreich waren sie nie. Neue Konzepte wären gefragt, aber westliche Denkfabriken produzieren wenig mehr als larmoyante Betrachtungen über den Niedergang der liberalen Weltordnung oder die zögerliche Rolle der USA als Weltpolizist. Liberal war diese Weltordnung immer nur für ihre Nutznießer. Die Bewohner Gazas oder Bagdads, Afghanistans oder Libyens haben wenig Anlass, der amerikanischen Götterdämmerung mit Tränen in den Augen beizuwohnen. Und der Weltpolizist hat wesentlich dazu beigetragen, daran sei ausdrücklich erinnert, unsere Feinde überhaupt erst zu erschaffen. Al-Qaida wie auch der «Islamische Staat» verdienen beide das Label «Made in USA».

Im Rückblick war der Fall der Berliner Mauer eine historische Zäsur, die von den Siegern nicht genutzt wurde. Das Diktum vom «Ende der Geschichte», das der amerikanische Polit-Philosoph Francis Fukuyama damals prägte, ist seinerseits längst Geschichte, steht aber sinnbildlich für die Verblendung des Westens. Die Annahme, dessen Siegeszug und die segensreiche Allmacht des Marktes seien unumkehrbar, war nie etwas anderes als narzisstisch. Die Welt besteht nicht allein aus den anglophonen Ländern, Europa und Japan, die ihrerseits genügend Unheil angerichtet haben, auf allen Kontinenten, über Jahrhunderte. Anstatt auf den großen Verlierer Russland zuzugehen, anstatt eine neue Politik auf Augenhöhe mit anderen Akteuren zu begründen, anstatt einen Moment innezuhalten und der vielen Opfer der eigenen imperialen Politik zu gedenken, von denen des Kolonialismus ganz zu schweigen, haben sich die USA und mit ihr die Europäische Union für den entgegengesetzten Weg entschieden. Auf internationalem Parkett waren sie seit der Wende vor allem bemüht, neuen Machtansprüchen Geltung zu verschaffen, inklusive Osterweiterung der Nato, und die eigene, die westliche Hegemonie mit allen Mitteln zu verteidigen, obwohl deren Ende abzusehen ist. Der wirtschaftliche Aufstieg Chinas ist nicht aufzuhalten, auch die übrigen BRICS-Staaten Brasilien, Russland, Indien, Südafrika sind auf dem Weltmarkt zunehmend präsent. Ihre Neigung, den Spielregeln Washingtons zu folgen, wird dementsprechend schwinden.

Gleichzeitig erscheint die Welt in einem Zustand permanenter Unruhe, im Krisenmodus. Noch zur Jahrtausendwende wähnte sich der Westen in einem Paradies namens *New Economy*: Wachstum und Wohlstand durch technologische Innovation, gleichzeitig die Befriedung der Welt durch ihre fortschreitende Verbürgerlichung. Auf den Crash 2008 folgten Rezession und Stagnation mit hohen Arbeitslosenzahlen in Europa. Überzeugungen gerieten ins Wanken, Gewissheiten und Sicherheiten schwanden. Nichts ist beständig außer dem Wandel, aber selbst der verheißt keine Morgenröte.

Eine Zeit neuer Unübersichtlichkeit erwächst, die nicht länger von einem Machtzentrum allein bestimmt wird. Die Ära globaler Hegemonie, die nach 1945 zunächst von den USA und der Sowjetunion geprägt wurde, seit 1989 von Washington und seinen Verbündeten, hat sich überlebt. Mit China betritt nicht einfach eine neue Großmacht die Weltbühne, welche die alte Ordnung unter anderen Vorzeichen fortsetzt. Selbst wenn Peking das wollte, würde es nicht gelingen. Die neue Unübersichtlichkeit hat ihre Wurzeln in der Multipolarität, der Vielzahl an gegebenen oder entstehenden Machtzentren. Darunter finden sich Nationen, Staatenbündnisse, globale Großunternehmen wie Google oder Amazon, Geheimdienste, politische Bewegungen, nichtstaatliche Akteure, weltweit aufgestellte Kriminalitäts- oder Terrornetzwerke, Nichtregierungsorganisationen. Unter- und gegeneinander ringen sie um Macht und Einfluss, sind heute Verbündete und morgen Gegner oder Feinde.

Diese neue Unübersichtlichkeit verlangt nach Diplomatie, Interkulturalität und Pragmatismus. Nichts deutet darauf hin, dass die Regierenden und Meinungsmacher in westlichen Staaten die Zeichen der Zeit verstanden hätten. Sie verlieren sich im Kleinklein der Tagespolitik und halten fest an der Unterteilung der Welt in «gut» und «böse». Sie übersehen dabei, dass ein Großteil der Menschheit ein Leben in Ohnmacht führt, vielfach entrechtet und ohne Chance auf unser privilegiertes Dasein. Diese Menschen sind Verlierer, und sie wissen das auch. Oft genug reagieren sie mit Gewalt auf die Zumutungen der westlich geprägten Weltordnung, weswegen sie zu den «Bösen» gerechnet werden.

Das Wort von der «westlichen Wertegemeinschaft» oder dem «christlichen Abendland» beinhaltet feste Überzeugungen und Glaubenssätze. Dazu gehört, dass nicht etwa die Ausübung von Macht und Gewalt im Verlaufe von Jahrhunderten unsere Vorherrschaft begründet hätte, sondern die von evolutionären Entwicklungen gesteuerte, auf Einsicht und Vernunft fußende, westliche Zivilisation. Umso ratloser erscheinen die Auguren: Warum konnte sich die liberale Demokratie unseres Zuschnitts nicht weltweit durchsetzen? Warum lieben die Russen ihren Putin, die Türken ihren Erdoğan, obwohl beide für ein autoritäres Regierungssystem stehen?

Die Antwort ist so schwer nicht zu finden. In Schwellenländern wollen untere und mittlere soziale Schichten dort ankommen, wo wir uns bereits befinden: in der Konsumgesellschaft, im Sozialstaat. Meinungsfreiheit interessiert sie weniger als der eigene Aufstieg. Ihr Ideal ist der Macher, der starke Mann, der es selbst von unten nach ganz oben geschafft hat. In solchen Milieus gelten Regeln und Weltbilder, die meist noch stark patriarchalisch geprägt sind und einem autoritären Verständnis von Religion oder Nation anhängen. Davon abgesehen haben die Menschen gerade im Orient den großen Widerspruch zwischen dem Freiheitsversprechen des Westens und den Niederungen seiner Realpolitik zu Hunderttausenden mit dem Leben bezahlt. Diese Menschen wissen auch, dass ein Großteil der Europäer und Amerikaner dem Islam mit Ablehnung und Verachtung begegnet und Israel gegenüber grundsätzlich andere Maßstäbe anlegt als gegenüber dem Rest der Welt. Der indische Essayist Pankaj Mishra sieht es so: «Nur die hoffnungslos Selbstzufriedenen werden wohl heute noch behaupten, dass der westliche *way of life* der beste ist und dass der Rest der Welt ihn getreulich kopieren sollte, mit Hilfe von *nation building* und Kapitalismus westlicher Ausprägung. Dogmen, mit denen alle über einen Kamm geschoren werden, sind in einer beunruhigend vielfältigen und schnelllebigen Welt nicht mehr gefragt.»

Welchen Weg andere Kulturen oder Staaten gehen wollen, müssen sie selbst entscheiden. Wir aber müssen uns fragen, wo und wie wir unseren Platz finden wollen innerhalb der neuen Unübersichtlichkeit. Das betrifft nicht allein die Politik, sondern berührt auch Fragen von Kultur und Identität. Ein chinesisches Sprichwort sagt: Wenn der Wind des Wandels weht, bauen die einen Mauern und die anderen Windmühlen. Dieses Schlusswort plädiert für Windmühlen. Angefangen damit, die Welt nicht länger in ein «wir» und «die» zu unterteilen. Die großen Bruchlinien verlaufen nicht zwischen Staaten, Religionen oder Ideologien. Sondern dort, wo es um die Verteilung von Macht und Ressourcen geht. Einen «Kampf der Kulturen» gibt es nicht. Wohl aber einen Kampf um die Fleischtöpfe. Die meisten Opfer radikaler Islamisten sind Muslime, nicht Europäer oder Amerikaner. Wir interessieren uns allerdings meist erst dann für die Opfer, wenn sie aussehen wie wir oder der Terror an unsere Türen klopft.

Die Deutschen sind Weltmeister der Erinnerungskultur, aber wie die meisten Europäer können sie sich nicht vorstellen, dass der Westen Unrecht begeht. Unrecht begehen die anderen: Russen, Chinesen, Muslime. Sie unterdrücken die Freiheit oder begehen Massenmorde. Wir dagegen tun das nicht. Der Krieg in Vietnam oder der Putsch gegen Allende, der Putsch gegen Mossadegh oder der Krieg im Irak – welchen «Transatlantiker» würden sie ernsthaft betrüben?

Werte gehören zur festen DNA westlicher Gesellschaften, dienen der Sinnstiftung, der Eigenlegitimation, auch der Selbstvergewisserung: Ja, wir sind die Guten. Und gerade weil diese Werte ein hohes Gut darstellen, dürfen sie in der politischen Praxis nicht zum Schlagwort verkommen. Als Deckmantel eigener Interessen, im Dienst einer vermeintlich höheren Moral. Wenn Menschenrechte vor allem dazu herhalten müssen, eigene Machtpolitik zu tarnen oder unliebsame Politiker anzugehen, etwa Putin oder Erdoğan, während sie ansonsten, etwa im Umgang mit Israel oder den USA, Stichwort Gaza oder Guantanamo, so gut wie keine Rolle spielen, werden sie zur Worthülsen, gerinnen sie zur Gesinnungsethik.

Fangen wir an mit kleinen Schritten. Verlassen wir uns nicht auf Politiker oder Publizisten, die in ihrem Provinzialismus längst erstarrt sind. Übernehmen wir selbst Verantwortung, im Bewusstsein unserer vielen Privilegien. Lernen wir Demut und Bescheidenheit, bei allem Stolz auf unsere eigene Kultur. Je eher wir begreifen, dass Millionen Menschen allein im Nahen und Mittleren Osten einfach nur zu überleben versuchen, umso leichter fällt es auch, ihnen beizustehen. Vor allem jenen, die zu uns kommen, als Flüchtlinge. Helfen wir ihnen, hier Wurzeln zu schlagen, denn sie werden bleiben. Dafür bedarf es einer europäischen Lösung – Deutschland kann nicht auf Dauer die Hauptlast tragen. Die Integration der Flüchtlinge ist eine große gesellschaftliche Herausforderung. Scheitert sie, droht schlimmstenfalls dauerhafte Gewalt zwischen Rechtsextremen und Einwanderern/Flüchtlingen, die sich ihrerseits radikalisieren. Ganz zu schweigen vom neuerlichen Auftrieb des Rechtspopulismus in Europa.

Ein gutes Miteinander braucht klare Regeln, die für alle gelten: namentlich das Bekenntnis zu Grundgesetz und Rechtsstaatlichkeit. Patriarchale Lebensformen, die dem Einzelnen, vor allem Mädchen und Frauen, keinen oder nur wenig Freiraum lassen, sind in diesem Zusammenhang ebenso abzulehnen wie etwa Antisemitismus oder Islamhass. Zeigen wir Härte denen gegenüber, die unsere Freiheit missbrauchen. Dazu gehören auch und vor allem diejenigen, die Wind säen und Sturm ernten, nicht allein im Orient. Der richtige Ort für sie ist der Internationale Strafgerichtshof in Den Haag. An dem Tag, an dem dort Anklage gegen die großen Verderber und Schreibtischtäter erhoben wird, oder wenigstens doch gegen einige von ihnen, allen voran George W. Bush, Dick Cheney, Tony Blair, Donald Rumsfeld, hätte sich die Wendung «westliche Wertegemeinschaft» tatsächlich mit Leben gefüllt.

Atlantischer Ozean
FRANKREICH
Budapest
Ljubljana
Zagreb
RUMÄNIEN
Krim
RUSSLAND
KASACHSTAN
Sarajevo
Belgrad
Bukarest
BULGARIEN
Podgorica
Sofia
Rom
Tirana
Skopje
SPANIEN
Madrid
PORTUGAL
Lissabon
Sardinien
ITALIEN
Balearen
GEORGIEN
Tiflis
Baku
Ankara
Eriwan
ASERBAID.
USBEKISTAN
Bischkek
Taschkent
KIRGISTAN
TURKMENISTAN
Duschanbe
Aschchabad
TADSCHIKISTAN
CHINA
TÜRKEI
Athen
Sizilien
Tunis
GRIECHEN-LAND
MALTA
Algier
Kreta
Lefkosia
ZYPERN
SYRIEN
Tigris
Teheran
Kabul
Islamabad
TUNESIEN
Mittelmeer
Rabat
Beirut
Damaskus
Bagdad
ISRAEL
IRAN
AFGHANISTAN
Tripolis
Jerusalem
Amman
IRAK
MAROKKO
Indus
JORDANIEN
Euphrat
Kairo
Libysche Wüste
Kuwait
PAKISTAN
NEPAL
ALGERIEN
LIBYEN
Neu Delhi
El Aaiún
ÄGYPTEN
BAHRAIN
Manama
KATAR
Doha
D.A.R. SAHARA (WEST-SAHARA)
Sahara
Riad
Rotes Meer
Abu Dhabi
Nasser-see
V.A.E.
Maskat
SAUDI-ARABIEN
OMAN
Nubische Wüste
INDIEN
MAURETANIEN
MALI
Nil
Nouakchott
NIGER
SUDAN
Niger
SENEGAL
TSCHAD
ERITREA
Dakar
Niamey
Khartoum
Asmera
JEMEN
Sanaa
Banjul
Bamako
Ouagadougou
Tschadsee
Bissau
N'Djamena
Sokotra
GUINEA
BURKINA FASO
Djibouti
Conakry
BENIN
NIGERIA
Freetown
Abuja
SOMALIA
TOGO
Addis Abeba
SIERRA LEONE
Yamoussoukro
ZENTRAL-AFRIKANISCHE REPUBLIK
Indischer Ozean
Monrovia
Lomé
Porto-Novo
SÜD-SUDAN
ÄTHIOPIEN
Colombo
LIBERIA
Accra
KAMERUN
SRI LANKA
GHANA
Bangui
Juba
ELFENBEIN-KÜSTE
Malabo
Yaoundé
SÃO TOMÉ U. PRÍNCIPE
UGANDA
Mogadischu
Libreville
DEMOKRATISCHE REP. KONGO (Zaïre)
Kampala
KENIA
Atlantischer Ozean
GABUN
Viktoriasee
Nairobi